9791167563477

슬픔의 방

슬픔의 방

김문정 단편집 1

차 례

오로라   007

돌아보는 순간   035

슬픔의 방   065

흘러가다   095

작가의 말   125

오로라

오로라를 보러 가야겠어. 다큐멘터리를 보다 문득 중얼거렸다. 초록빛으로 일렁이는 오로라 아래에서 사람들은 감격에 겨워 울고 있었다. 이 우주 속에서 나는 얼마나 티끌 같은 존재인가, 그동안 참 부질없는 고민을 하고 살았구나, 라는 생각이 든다고 했다. 티끌 같은 존재. 나도 그렇게 작은 점 하나로 사라지고 싶다고 생각했다. 벌써 일 년 전 어느 일요일 밤의 일이었다.

　소문으로만 돌던 조직개편이 공지되던 날, 떠나는 사람과 남는 사람의 이름을 살펴보다 마음이 답답해졌고 이대로 불쑥 사라지고 싶다고 생각했다. 얼마 전 회사를 그만 둔 은영에게 메시지를 보냈다. 10월에 오로라 보러 가지 않을래? 그래, 나도 가고 싶어. 미리 봐놓았던 여행상품 예약페이지에서 은영과 내 여권번호를 입력하고 예약을 완료하자 여행사 담당자에게서 전화가 걸려왔다. 내 삶의 아주 먼 곳에 존재하는 줄 알았던 오로라는 예약금 40만원을 입금하자마자 머지않은 미래에 다가올 현실이 되었다. 데이터로밍을 해봤자 안 터질 거니까 하지 마세요. 전화를 끊으며 덧붙인 여행사 직원의 말에서 오히려 해방감이 느껴졌다.

비행기를 두 번이나 갈아타며 캐나다의 북쪽으로 향했다. 은영은 세 번째 비행기에서 지쳐 잠들었고, 나는 혼자 무료한 시간을 견뎌야 했다. 무심코 바라본 창 너머 구름 위에서 무언가 움직이고 있었다. 얼굴을 바짝 붙여 창밖을 살폈더니 구름 위에서 움직이는 오로라가 보였다. 진짜로 왔구나, 이곳에.

공항으로 마중나온 가이드를 따라 호텔에 짐을 풀고 바로 오로라 관측시설로 향했다. 초저녁부터 관측했던 사람들은 이미 강렬한 오로라를 보고 흥분상태로 환성을 지르거나 울고 있었다. 나도 첫날부터 오로라를 볼 수 있는 걸까 기대했지만, 구름이 몰려와 하늘을 가렸고 그날의 관측은 더 이상 의미 없는 일이었다. 그저 오로라를 보고 희열에 가득 찬 사람들의 얼굴만을 마주한 뒤 호텔로 돌아와야 했다.

아직 오로라 제대로 못 보셨죠? 스태프 명찰을 목에 건 현성이 살갑게 말을 붙이며 다가왔다. 오로라를 볼 수 없는 낮 시간을 보내기 위해 신청한 트레킹 체험이었다. 버스 한 대를 가득 채운 관광객 중 한국인은 우리뿐이었다. 공항에서 우리를 픽업할 때와는 달리 친근한 미소를 보이며 현성은 말을 이어갔다. 첫날 오셨을 때, 다른 사람들은 오로라를 다 봤는데 두 분만 못 보셔서 마음이 쓰이더라고요. 가이드 치고 말수도 적고 무심해보였는데 의외로 세심한 면이 있다고 생각했다.

　산의 출입로 근처를 살피던 현성이 나무 하나를 가리켰다. 나무 중간쯤에 짐승의 털이 몇 가닥 붙어 있었다. 곰이 지나간 흔적이라고 했다. 트레킹 체험도 곰이 나타나는 바람에 일주일째 중단되었다가 오늘부터 재개되었다며, 겨울 시즌이 되면 추운 날씨에 먹이를 구하지 못한 곰들이 종종 산 아래로 내려와 사람을 공격한다고 했다. 아직은 여름시즌인데 이상하게 일찍 곰이 내려왔다고 현성이 말했지만 영하 20도까지 내려가는 10월 초의 날씨를 여름이라고 부르는 것이 어색했다. 아직은 견딜 만한 날씨예요. 이 곳의 겨울은 춥다기보단 아파요. 선배 가이드들이 말할 때는 이해하지 못했는데 겪어보니 알겠더라고요. 방한 점퍼를 입지 않은 채 나타난 현성이 말했다. 곰 퇴치용 스프레이를 챙기다가 방한 점퍼를 벗어두고 나왔다며 추우면 뛰죠 뭐, 라고 말하며 웃었다. 곰을 만나면 형체를 알아볼 수 없을 만큼 사체가 훼손된대요. 거의 재난 수준이죠. 건장한 체격을 가진 현성의 표정에서 공포심을 읽었다. 적어도 곰을 만나서 죽고 싶지는 않아, 나는 마음속으로 생각했다.

"지금 서 있는 그 곳이요. 얼마나 오래된 땅인 것 같아요?"

"음, 1억 년 정도일까요?"

"작년에 체험 오셨던 분 중에 지질학 교수님이 한 분 계셨는데 그분이 보시고는 10억 년은 된 땅이래요. 그때부터 가끔 멈춰 서서 발을 딛고 있는 땅을 한 번씩 바라보게 됐어요."

10억 년이라는 가늠되지 않는 시간과 본 적 없는 야생의 곰, 어쩐지 현실감이 없었다.

하늘이 드리워진 호수 앞에서 은영과 내가 서로의 사진을 찍어주고 있을 때, 현성은 주섬주섬 배낭을 열어 해쉬포테이토 한 봉지를 조심스레 꺼냈다. 현성이 해쉬포테이토 작은 조각 하나를 손바닥에 올려놓자 산 저쪽에서 무언가 날아왔다. 매와 비슷한 단단한 눈매를 가진 새가 현성의 손가락을 잡고 서서 해쉬포테이토를 먹어치우더니 올 때와 같은 속도로 산 속으로 사라졌다. 한 번 해보실래요? 현성은 내 손 위에 작은 조각을 올려두었다. 2초쯤 지났을까, 어디선가 숨어있던 새가 일직선으로 날아와 발가락 네 개로 손가락을 단단히 붙잡았다. 깜짝 놀라 나도 모르게 손을 털어내려 하자 새는 더욱 단단하게 나를 붙잡았다. 어떤 경계심도 느껴지지 않았다. 오히려 나를 의지한다는 느낌마저 들었다. 서로의 존재가 자연스럽게 받아들여지는 야생의 장소에서 처음 만난 새의 발가락이, 나를 꼭 붙잡고 있던 그 힘이, 살아남아야 한다고 내게 말하는 것 같았다.

오로라 관측의 가장 큰 적은 빛이에요. 여러분이 머무시는 티피와 화장실 문을 꼭 닫고 다니시고요. 핸드폰 플래시도 절대 터뜨리면 안 됩니다. 현성의 안내에 따라 각자 마음에 드는 곳에 의자 하나를 옮겨놓고 영하 20도의 추위를 견디며 오로라를 기다렸다. 칠흑 같은 어둠 속에서 애써 고개를 들어 하늘을 바라보지 않아도 시선이 닿는 모든 곳에 별이 있었다. 산이 없는 곳에서는 하늘과 땅이 공평하게 공간을 나눠 갖는구나. 은영과 이야기를 하다 보면 유성이 숱하게 떨어졌다. 봤어? 응. 유성이 떨어질 때마다 우리는 대화를 멈추고 조용히 소원을 빌었다. 이젠 행복하게 살 수 있게 해주세요. 사라지고 싶어서 온 곳에서 행복을 바라다니. 지난 20여 년간 행복은 나의 것이 아니라고 생각했다. 가끔 행복하다고 느낄 땐 그만큼의 죄책감이 같은 무게로 따라붙었다. 나만 행복해도 되는 걸까, 라는 무거운 질문과 함께.

동생이 사고를 당하던 날, 앰뷸런스에 실려 간 큰 병원에서 시체를 왜 갖고 왔느냐며 무심하게 내뱉던 의사의 말을 듣던 날, 식물인간으로 몇 달을 보내다 기적처럼 눈을 떴지만 150이던 동생의 IQ가 75밖에 나오지 않던 날, 어쩌다 웃고 있던 내게 넌 동생이 그 모양인데 웃음이 나오냐며 같은 반 친구에게 힐난 받던 날, 집안에서 텔레비전 소리가 들리는데 문을 열어주지 않는다고 현관문을 발로 차고 욕설을 퍼붓고 돌아간 택배 기사로 인해 공포에 갇혀 어둠 속에 웅크려있던 동생을 발견하던 날, 그 모든 날들이 나를 행복하지 못하게 만들었다. 너의 인생은 망가져버렸는데 나 혼자 온전한 삶을 살아가려 욕심을 내는구나. 어쩐지 그건 동생을 배신하는 것 같았다. 가해자를 향했던 분노가 서로에 대한 원망으로, 또다시 자신에 대한 환멸로 바뀌는 데에는 그리 오랜 시간이 걸리지 않았다. 온당하지 않다는 것을 알면서도 서로의 상처를 헤집는 시간들이 무겁게 쌓여갔다.

*

오로라 투어의 마지막 날이었다. 며칠째 아쉬운 마음을 안고 숙소로 돌아왔다. 오로라는 거의 매일 나타났지만 흐리면 구름에 가려 육안으로는 볼 수 없었다. 게다가 강도 높은 오로라는 좀처럼 보기 어렵다고 했다. 세 번을 왔다가 그냥 돌아간 사람도 있다고 했다. 나에게도 남은 시간은 오늘 뿐이었다. 그래도 오늘은 하늘이 맑았고 오로라 강도도 높다고 했다. 이제 내가 할 수 있는 건, 그저 기다리는 것뿐이었다.

적막한 어둠 속에서 나는 은영과 함께 별을 보고 있었다. 깊은 어둠 속에서 도란도란 속삭이는 사람들의 나직한 목소리는 마음을 편안하게 만들었다. 내가 알아듣지 못하는 다른 나라의 언어였지만 어쩐지 모두가 같은 이야기를 하는 것 같았다. 그 순간 내게는 동생도, 가족도, 그 누구도 떠오르지 않았다. 한시도 가라앉지 않던 폭풍우 같던 마음이 처음으로 잠잠해졌다. 오롯이 내 마음을 바라보았다. 나는 오로라를 보고 싶었다. 나, 오로라 못 보면 안돌아간다고 했는데. 그럼 볼 때까지 오지 뭐. 멀리서 개들이 짖기 시작했다. 겨울 시즌의 썰매개 체험을 위해 한 곳에 모아 기른다는 개들이었다. 오로라가 뜨기 전에 개들이 먼저 짖는대요. 진짜 그런 건지는 사실 잘 모르겠어요. 어느새 다가온 현성이 의자를 우리 옆에 가져와 앉으며 말했다. 구름이 점점 걷히며 가려져있던 별들이 빼곡히 존재를 드러냈고, 개들은 돌림노래처럼 서로의 소리를 이어갔다. 문득 사람들의 말소리도 개들의 울음소리도 멈춘 고요한 순간이 찾아왔고, 나는 그 순간의 풍경이 아름다운 사진처럼 느껴졌다. 나도 모르게 숨을 크게 들이마시고 천천히 내쉬었다. 그때 누군가 외쳤다. 저거 오로라 아냐? 오로라다! 먼 산의 뒤편에서 시작된 영롱한 오로라가 점점 머리 위로 다가왔다. 잠깐 나타났다 사라지더니, 아쉬워할 틈도 없이 오로라가 핑크빛 자락을 매달고 눈앞에 화려하게 펼쳐졌다. 탄성과 환호가 동시다발적으로 터져 나왔다.

운이 좋으시네요. 저기 끝에 핑크빛 보이시죠? 저거 보면 끝까지 다 본 거에요. 가장 강한 레벨의 오로라거든요. 아무나 볼 수 없다는 오로라가 한동안 내 머리 위에서 춤을 추듯 너울거리며 머물렀다. 조용히 가라앉은 먼 이국땅의 어둠 속에서 나는 고요하고, 평화롭고, 행복했다. 어, 이상하다. 왜 행복하지, 생각하는 순간 눈물이 툭, 떨어졌다.

*

현성의 부모가 부부로 살았던 시간은 꼭 25년이었다. 공교롭게도 그들이 25년 전 결혼을 한 바로 그 날, 다시 남으로 돌아가기로 합의했다. 현성은 누구도 따라가지 않고 혼자 살겠다고 선언했다. 그들에게서 공평하게 똑같은 거리를 두며 멀어지고 싶었다. 하루가 다르게 물기가 빠져나가 뒷모습이 작아지는 남자도, 다른 남자에게만 웃음을 보이는 여자도 보고 싶지 않았다. 다만, 민섭과의 관계가 사라지는 것만은 아쉬웠다. 민섭은 여자의 아버지, 즉 현성의 외할아버지였다.

남자의 눈이 생기를 잃고 투명해질 때마다 민섭은 내가 자식 교육을 잘못 시켜서 미안하다, 내 탓이다, 라는 말을 되풀이했다. 그는 진심으로 미안해했지만 그의 잘못이 아니라는 것은 모두가 알고 있었기에 오히려 아무 말도 할 수 없었다. 남자가 진작 이혼을 하지 못한 것은 여자 때문이 아니라 그 아버지 때문이었을 거라고 현성은 늘 생각했다. 여자를 따라가기로 한 여동생 은성은 엄마는 안 만나더라도 외할아버지는 만나도 되잖아, 라고 말했지만 그건 욕심이라고 생각했다. 모든 선택에는 대가가 필요하고, 자신의 삶에서 엄마를 배제하기 위해서는 외할아버지를 잃는 것이 당연했다. 무언가를 욕심낼수록 갖지 못하는 것이 많다는 것을 알게 될 뿐이니까 애초에 욕심을 부리지 않는 편이 덜 비참하다고 생각했다.

어린 시절, 현성은 방학이 되면 은성과 함께 민섭의 집에서 지내곤 했다. 시골의 밤하늘엔 별이 많았다. 민섭은 현성과 은성을 무릎에 앉힌 채 별을 바라보며 말했다. 별처럼 빛나는 사람이 될 거야, 너희들은. 그래서 내가 이름에도 별을 달아주었잖니. 시간이 흘러 캐나다의 하늘을 가득 수놓고 있는 별을 바라보며 그때의 시절을 떠올리던 현성은 중얼거렸다. 외할아버지, 막막하고 깊은 어둠 속에서만 빛나는 별을 볼 수 있는 건가 봐요.

현성이 워킹홀리데이로 캐나다에 올 사람을 찾는다는 글을 우연히 읽은 건 부모의 이혼 소식을 듣고 혼자 살겠다고 선언한 직후였다. 서빙을 하거나 농장에서 일하는 것보다 오로라 관측시설에서 일하는 것은 특별해보였다. 누군가는 몇백만 원을 들여 오로라를 보러오는데 나는 돈을 벌면서 오로라를 볼 수 있겠다, 라고 생각했던 터였다. 현재 그 일을 하고 있지만 곧 한국으로 돌아와야 해서 후임자를 찾고 있던 선배가 학과 게시판에 글을 올린 것을 보고 그에게 지원자격을 물어보려 한 것뿐이었는데 어느새 현성은 캐나다에 도착해 있었다. 한국에서 오로라를 보러오는 손님들을 상대하는 것이 현성의 업무였다. 공항에서 손님을 픽업해서 호텔까지 데려다주고, 다시 관광버스에 태워 관측시설로 데려가 새벽까지 오로라 관측을 돕고, 기념품을 팔고, 낮엔 선택 체험 가이드까지 해야 했다. 몸은 피곤했지만 담당하는 손님이 많을수록 돈을 많이 벌 수 있었다. 손님이 없을 땐 숙소비용을 제하고 받는 월급이 부모에게 받던 용돈보다 적을 때도 있었다. 여기까지 와서 뭘하고 있는 걸까, 한숨이 나올 때도 있었지만 현성은 돌아갈 곳이 없었다. 가이드 업무가 익숙해진 후에는 한국을 떠나온 사람들이 자신을 의지한다는 것이 좋았다. 이 순간만큼은 자신이 그들에게 가장 필요한 존재라는 위치에 있다는 것이 좋았다. 가끔 레벨이 높은 오로라를 보며 행복해하는 사람들을 바라보면, 현성은 마치 그들의 행복에 자신이 일조한 것 같은 착각마저 들었다. 한국에 돌아가서도 종종 연락하는 사람들이 있었고, 그들의 행복한 기억 속에 머물러 있는 자신의 모습이 좋았다.

두 번째로 맞은 여름 시즌의 끝 무렵에 곰이 나타나기 시작했다. 아주 추운 겨울에 먹이를 구하지 못한 곰이 마을로 내려오는 일은 종종 있었지만, 여름 시즌에 곰이 티피까지 내려온건 처음이라고 했다. 손님들을 모두 안전한 곳으로 대피시키고 있는데 누군가 카메라 렌즈를 티피 근처에 놓고 왔다고 했다. 제가 빨리 가져다드릴게요, 현성이 대답하고 렌즈를 찾으러 온 곳에서 카메라 렌즈와 함께 웅크리고 있는 곰의 뒷모습을 발견했다. 말로만 듣던 곰을 맞닥뜨렸을 때 이렇게 죽을 수도 있겠구나, 라는 생각이 가장 먼저 들었고 그 다음 머릿속에 떠오른 건 민섭의 얼굴이었다. 다행히 곰은 현성을 발견하지 못한 채 산으로 돌아갔고 현성은 카메라 렌즈와 함께 무사히 돌아왔지만 갑자기 떠오른 민섭의 얼굴이 좀처럼 잊혀지지 않았다. 숙소로 돌아와 오랜만에 은성에게 메시지를 보냈다. 별 일 없지? 현성의 짧은 질문을 읽고도 한참 답이 없던 은성이 뒤늦게 연락을 해왔다. 오빠, 언제 돌아와? 외할아버지가 아파.

　현성은 한국으로 영영 돌아가지 않고 캐나다에 정착하는 방법을 찾고 있었지만, 민섭의 얼굴을 한번은 보고 싶었다. 손님들은 오로라가 나타나길 기다리며 밤하늘을 바라보았지만 현성은 깊은 어둠 속에서 자신의 이름에 별을 달아준 민섭의 얼굴을 떠올렸다. 오로라를 보면 인생이 바뀐다고 해서 왔어요, 라고 말하는 손님의 말을 듣고 현성은 속으로 생각했다. 오로라를 수백 번을 봐도 인생은 달라지지 않아요. 하늘 가득 떠오른 별을 바라보는 밤이면 민섭과 보냈던 시간이 점점 그리워졌다. 행복하다고 생각했던 몇 안 되는 순간에는 늘 민섭이 함께 있었다.

　한국에 돌아가기 전 마지막으로 인솔하는 트레킹 체험이었다. 곰이 나타난 직후여서 신경 쓸 일이 많았다. 현성은 아침을 거르고 나오면서 방에 있던 해쉬포테이토를 가방에 넣었다. 자유시간에 몰래 먹을 생각이었지만 오늘따라 트레킹 체험에 참여한 한국인 손님이 두 명밖에 없었다. 혼자 가방에서 해쉬포테이토를 꺼내먹기가 좀 겸연쩍었다. 손님들이 호수 앞에서 사진을 찍는 동안 현성은 산 주위를 둘러보았다. 멀리서 새 한 마리가 눈에 들어왔다. 처음 그 새를 보았을 때, 한국에서는 보지 못한 낯선 새의 뒷모습을 현성은 자신도 모르게 눈으로 좇고 있었다. 저 새를 영화에서 본 것 같은데 그 영화 제목이 뭐였더라, 현성은 고개를 갸웃거렸지만 결국 그 영화 제목은 기억해내지 못했다. 산에 올 때마다 새의 뒷모습을 살폈더니 언제부턴가 새가 먼저 현성에게 다가와 주위를 한 바퀴 돌고 다시 멀어지곤 했다. 곰도 먹이가 없어 내려오는데 새도 먹을 게 없겠지, 문득 안쓰러운 마음이 들었다. 해쉬포테이토를 작게 떼어 손바닥 위에 올려놓았더니 저 멀리서 새가 날아와 현성의 손 위에 앉았다. 새의 시력이 좋다는 것은 알고 있었지만 이렇게 흐트러짐 없는 비행을 눈앞에서 보니 놀라웠다. 두 손님도 신기한 표정으로 현성을 바라보고 있었다. 한번 해보실래요? 현성의 제안에 손님들도 차례로 해쉬포테이토를 손바닥 위에 올려놓고 기다렸다. 사람을 가리지 않고 새는 날아왔다. 새에게 중요한 것은 먹이를 구하기 어려운 산 속에서 발견한 해쉬포테이토 조각일 뿐이겠지. 나도 중요한 걸

찾으러 갈게, 잘 있어. 마지막 조각을 먹고 있는 새를 향해 현성은 중얼거렸다.

캐나다를 떠나 한국으로 돌아가는 비행기 창문 너머로 강한 초록색 빛이 움직이는 것이 보였다. 언젠가 한국에서 온 손님이 하늘에서 본 오로라 이야기를 했던 것이 기억났다. 수백 번의 오로라를 봤지만, 구름 위에서 본 건 처음이었다. 돌아가면 민섭의 시골집에 가서 별처럼 빛나는 사람이 되지는 못했지만 그 누구보다 많은 별을 보았다고 이야기해야지, 라고 현성은 생각했다. 그러면 아마 민섭은 내게는 네가 훨씬 빛나는 별이야, 라고 말하며 머리를 쓰다듬어 줄 것 같았다. 현성의 입가에 잠시 미소가 머물렀다.

한국에 도착해서 인천으로 마중나온 은성에게 민섭의 부고를 전해 들었다. 급격히 상태가 나빠져서 아무도 준비하지 못한 상태에서 하늘로 돌아갔다고 했다. 오빠가 먼저 연락할 때까지 절대 알리지 말라고 해서 말하지 못했다고, 연락 좀 하지 그랬냐며 은성은 원망하듯 울먹였다. 몇 달 전, 민섭이 아프다는 은성의 말에 현성은 더 이상 묻지 않고 조만간 다시 연락하겠다며 메시지 창을 닫아버렸다. 불길한 느낌은 있었지만 말로 표현하고 싶지 않았다. 그렇게까지 심각한 상황이라면 마음여린 은성이 연락을 했겠지, 라는 생각이 현성의 마음속에 깔려 있었다. 언제나 베풀기만 하고 자신의 문제에 대해서는 함구하던 민섭의 성격을 익히 알고 있었지만 마지막 순간조차 연락을 하지 않을 거라고는 생각하지 못했다. 먼저 선을 그은 것은 현성이었기에 누구를 원망할 수도 없었다. 누군가에게, 그것이 가족이라 할지라도 폐를 끼치고 싶어 하지 않는 외할아버지의 성격을 내가 닮은 거였지, 현성은 새삼 떠올렸다. 한국에 돌아왔지만 돌아갈 곳이 없는 막다른 길에 다다른 느낌이었다.

공항에서 서울로 가는 리무진 버스 안에서 은성이 현성에게 말했다. 외할아버지가 시골집을 오빠한테 물려주셨어. 그 앞의 옥수수밭도 함께. 이번 주말에 같이 가볼래?

잠시 신세지기로 한 선배의 집에서 현성은 노트북을 빌려 은성이 적어 준 시골집의 주소를 찾아보았다. 어릴 때 엄마를 따라 그곳에 갔고, 성인이 되어서는 민섭이 서울로 올라와 시간을 보냈기 때문에 혼자 찾아간 적이 없어 길을 확인해야 했다. 주소를 입력하고 로드뷰를 살펴보는데 어릴 적 기억이 하나씩 떠올랐다. 은성과 함께 민섭에게 달려갔던 길, 민섭을 졸라 과자를 사러 간 오래된 동네 슈퍼. 시골은 놀라울 만큼 그대로

였다. 달라진 건 사람뿐이었다. 집 앞 옥수수밭을 살피다 문득 현성은 숨을 멈췄다. 키가 큰 옥수수 옆에 민섭이 서 있었다. 조금 수척해졌지만 크게 달라지지 않은 모습의 민섭이 옥수수를 쓰다듬고 있었다. 언젠가 민섭이 옥수수를 쪄서 먹으라고 가져다주며 말했었다. 너희들이 보고 싶으면 나는 옥수수를 쓰다듬는다. 너희들이 먹을 옥수수니까 잘 자라야지, 라고 말하면서 말이야. 쑥스러운 듯 웃는 민섭의 말에 현성은 은성과 함께 소리내어 웃으며 말했다. 보고싶으면 오라고 하세요, 우린 가족이잖아요. 현성은 내게 가족이 있다면 이렇게 셋이지, 라고 생각했던 적도 있었다. 외할아버지도 나를 그리워했겠구나, 나는 그동안 왜 외할아버지를 외면하고 살았을까. 현성의 마음에 깊은 자책이 밀려왔다. 그리워했지만 끝내 연락하지 못했던 민섭이었다. 유일하게 자신을 사랑해주었던, 이제는 세상에 없는 어른이었다. 현성은 민섭이 나온 장면을 캡쳐해서 사진파일로 저장했다. 언제가 될지는 알 수 없지만 로드뷰가 업데이트되면 이 길에 서 있는 민섭의 모습 또한 사라지겠지. 은성에게 사진을 보내주며 옥수수 먹고싶다고 메시지를 보냈더니 은성이 금세 답을 해왔다. 안 그래도 외할아버지가 올해도 옥수수 심었어. 오빠가 좋아한다고.

*

엄마가 이거 나 줬어. 빨갛게 잘 익었지? 잘 여문 방울토마토 세 알을 식탁 위에 올려놓고 찍은 사진과 함께 보내온 동생의 메시지였다. 얼마 전, 엄마는 집 앞 작은 공간에 스티로폼으로 만든 화분을 여러 개 갖다놓았고, 옆집 아저씨에게 얻은 흙을 가득 채운 뒤 방울토마토를 심었다. 함께 심었던 옆집의 방울토마토는 금세 시들어버렸지만, 엄마의 화분 속 푸른 식물은 싱싱하게 잘도 자랐다. 같은 모종에 같은 흙인데 왜 우리 토마토는 금방 죽고 아줌마네 토마토는 잘 자라는 걸까요, 고개를 갸웃거리는 옆집 여자에게 엄마는 담담하게 말했다. 원래 나는 죽어가는 것도 잘 살려요. 이상하게 내 손을 타면 잘 살더라고. 엄마 말이 맞았다. 병원에서 포기한 동생도 결국 엄마의 두 손이 살려냈다. 죽어가는 것을 보면 엄마는 마음이 닳는다고 했다. 그렇게 마음을 잃다보면 결국 비어버린 껍질만으로 사는 시간을 견뎌야 한다고 했다. 닳는 거지 마음이. 아니 내가.

엄마는 겨우내 갈색 빛을 띠고 있던 앙상한 가지에서 새 잎이 하나둘씩 피어나고, 짙은 갈색이 부드러운 연둣빛으로 바뀌는 순간이 좋다고 했다. 새로 돋아나는 잎들을 보면 텅 빈 마음이 채워지는 기분이라고 했다. 새 잎을 바라보는 엄마의 얼굴에 그 생기가 옮겨오는 것 같아서, 나는 엄마의 얼굴을 오랫동안 쳐다보곤 했다.

생각난 김에 엄마에게 오늘 좀 늦을 거라는 메시지를 보냈다. 오늘은 모처럼 친구들과 약속이 있는 날이었고, '네가 좋아할 만한 데가 있어'라는 친구의 말에 기대하며 따라온 곳이었다. 예상과는 달리 별다를 게 없는 낡은 3층 건물 앞에서 친구는 발을 멈췄고, 우리는 불규칙한 간격으로 붙어있는 오래된 계단을 따라 옥상까지 올라갔다. 옥상술집. 골판지 박스에 손으로 대충 쓴 글씨가 간판처럼 달려있었다. 낡은 건물 옥상에는 편의점 앞에 펼쳐놓을 법한 파라솔테이블과 플라스틱 간이의자가 적당한 간격으로 놓여있었다. 정말 여기야? 친구는 고개를 끄덕이며 익숙하게 빈자리를 찾아 앉더니 어정쩡하게 서 있는 나를 불렀다. 당황한 건 나 혼자뿐이었다. 뒤늦게 도착한 친구들은 이미 몇 번 와봤던 곳이라며 자연스럽게 자리에 앉았다. 음식이 맛있는 건가, 일말의 기대를 하며 친구가 주문하는 모습을 바라보았다.

이거 뭐야? 가방에 매달아놓았던 하얀 깃털과 푸른색 구슬로 만들어진 드림캐쳐를 가리키며 친구 하나가 물었다. 악몽을 걸러주고 좋은 꿈만 꾸게 해준다는 그거 아냐? 다른 친구가 아는 척을 하며 끼어들었다.

오로라를 보러 캐나다에 갔을 때 낮엔 할 수 있는 일이 아무것도 없어서 가이드에게 뭔가 추천해달라고 했더니, 가이드는 잠시 생각하다 드림캐쳐 만들기 체험을 할 수 있는 가게를 알려주었다. 은영과 함께 그 가게를 찾아갔지만 가게 주인인 남자는 드림캐쳐 만들기엔 관심이 없었다. 우리에게 오로라를 보러 왔냐고 묻더니, 그렇다고 대답하자마자 자신이 수집한 오로라에 대한 정보를 끊임없이 쏟아냈다. 그날 밤이 우리에게 남은 마지막 밤이라는 말을 듣자 그는 힘을 주어 한 마디씩 말했다. 행운을 빌어요, 오늘 꼭 멋진 오로라를 볼 수 있을 거예요.

한국에 돌아와 우연히 들렀던 인사동에서 알록달록한 구슬과 깃털이 예쁘게 엮인 드림캐쳐를 처음 봤을 때, 그 남자가 생각났다. 오로라에 미쳐서 생업을 바꾼 남자, 생업보다도 오로라 헌팅에 더 열을 올리는 남자, 초면의 여행자에게 진심으로 행운을 빌어주던 남자. 인사동의 작은 가게 입구에 매달려 있는 드림캐쳐를 바라보다 문득 생각했다. 내 꿈은 어디엔가 매달려 있는 걸까. 이젠 좋은 꿈도 나쁜 꿈도 내 것이 아닌 것만 같아. 내 꿈을 모두 잃어버리지 않기를 바라면서 가장 작은 사이즈의 드림캐쳐 열쇠고리를 사서 가방에 달았다.

 짠 계란말이와 조미료맛이 나는 대합탕을 한 번씩 먹어보고 수저를 내려놓았다. 너희 여기 자주 와? 타박하듯 말하는 내게 친구가 눈짓으로 하늘을 가리켰다. 주변을 둘러보니 나를 제외한 모두가 하늘을 올려다보고 있었다. 플라스틱 간이의자에 앉아 말없이 밤하늘을 바라보는 사람들의 모습을 한참 바라보다가 나도 하늘을 올려다보았다. 까만 하늘엔 보름달이 혼자 덩그러니 떠 있었다. 서울의 밤하늘엔 별 하나 없었지만, 그냥 달을 올려다보는데도 마음이 일렁였다. 그러고 보니 이렇게 하늘을 올려다본 게 얼마만이더라, 생각에 잠겨 있는데 친구가 물었다. 지은이 넌 오로라 보고 왔잖아. 내 주변에서 오로라 본 사람은 너 밖에 없는데. 오로라 보고 오면 정말 삶이 달라지는 거야?
 친구가 말했던 '내가 좋아할 곳'이라는 의미를 그제야 깨달았다. 다시 한 번 캐나다에 오로라를 보러가고 싶었지만 생각만큼 쉽지 않았다. 별이라도 봐야겠다 싶어 가입한 천체관측 동호회의 정기관측회에 참석해서 강원도로 별을 보러 간 적도 있었지만, 다양한 별자리와 은하수를 보면서도 그날의 기억과 같은 기분을 느끼지는 못했다. 어떤 것으로도 대체 불가능한, 유일한 기억이라는 것을 알게 된 후로 다시는 동호회 모임에 가지 않았다.

그 날의 기억은 '봄의 사진' 같았다. 내 삶의 어느 순간에 존재했던 선명하고 아름다운 기억. 엄마가 매일 초록빛으로 변해가는 나무를 보며 마음을 채우듯, 나는 그날의 기억으로 닳아가는 마음을 보호할 수 있었다. 처음으로 우주가 내 편일지도 모른다고 생각했던, 근원을 알 수 없는 힘이 나를 응원한다는 생각이 들었던 그 순간을 나는 잊을 수 없었다.

상황이 그대로인데 달라질 게 뭐 있겠어. 삶이 달라지는 게 아니라, 내가 달라지는 거겠지.

우리는 식어가는 대합탕을 앞에 두고 말없이 오랫동안 하늘을 바라보고 있었다.

단골인데 옥수수 좀 드릴까요? 방금 쪄서 따뜻해요. 짧지 않은 침묵을 깨뜨린 건 김이 나는 옥수수를 쟁반에 가득 담아온 사장의 목소리였다. 이미 안면을 익힌 듯한 친구들이 반가워하며 옥수수가 담긴 쟁반을 받아들었고, 우리 또래로 보이는 사장은 자연스럽게 간이의자를 하나 가져와 자기자리를 만들어 앉았다. 오늘은 음식이 좀 별로죠? 후배가 요리를 훨씬 잘하는데, 지금은 옥수수 때문에 시골에 가서 자리를 비웠어요.

친구 하나가 어쩐지, 하며 웃었고 사장은 옥수수를 가리키며 말했다. 그래서 이거 드리잖아요. 후배가 시골에서 직접 키운 옥수수라고 했다. 친척에게 물려받은 밭에 옥수수를 심어서 수확하면 가족에게 보낸다고 했다. 그러다 좀 남으면 자기에게도 갖다 준다며, 얼마 전에 옥수수를 자루 가득 갖다 주었다고 했다.

후배분이랑 나이 차이가 좀 나는 것 같던데, 학교 후배예요? 이 가게 단골이라는 친구는 그 후배도 아는 눈치였고, 친구의 질문에 사장은 후배와의 인연에 대해 말하기 시작했다. 집안형편이 좋지 않아 대학입학을 포기하려 했던 고 3 때, 담임선생님이 저를 슬쩍 부르셨어요. 네 1학기 대학등록금은 내가 빌려줄 테니, 포기하지 말고 공부 열심히 해라. 나중에 꼭 갚고. 선생님의 선의 덕분에 저는 대학에 입학할 수 있었고, 몇 년이 지나 빌린 등록금을 갚으려 할 때마다 선생님은 취직하면 받겠다며 사양하셨죠. 그 후 선생님은 정년퇴직을 하고 귀향하셨고, 제가 첫 월급에서 빌린 등록금 액수만큼 빳빳한 신권으로 바꿔들고 선생님을 찾아갔을 때 선생님은 손자를 소개시켜주셨어요. 이번에 네 후배가 된다. 동생처럼 잘 좀 챙겨줘. 나이차이가 꽤 나는 후배와 친해진 건 선생님의 손자라는 이유 때문이었지만, 후배는 알수록 속이 깊은 편이었고 형

제가 없던 저는 후배를 동생처럼 생각하며 가깝게 지냈어요. 그러다 무슨 이유인지 캐나다로 떠날 때만큼이나 갑작스럽게 한국에 돌아온 후배는 표정이 없었어요. 자신에게는 돌아갈 가족이 없다며 이곳에 머물면서 날이 맑건 궂건 상관없이 하늘만 바라보고 있었죠.

하늘을 올려다보는 사람들을 둘러보며 사장이 말을 이어갔다. 이 주변에 높은 건물이 별로 없어서 하늘이 맑을 땐 별이 보일 때가 있어요. 우리 어릴 때, 사람이 죽으면 별이 된다고 했었잖아요. 후배가 외국에 있을 때 할아버지가 돌아가셨는데 한국에 돌아와서 한동안 하늘만 보고 있더라고요. 죽은 사람이 있으면, 그 죽음을 딛고 살아가야 하는 사람이 있고, 그걸 지켜보는 사람이 있잖아요. 그 녀석이 어딘가 정착할 곳이 필요하다면 이번에는 내가 도와줄 차례라고 생각했어요. 언젠가 그 분에게 도움을 받았던 것처럼요. 뭐 그렇다고 대단한 걸 해줄 수 있는 건 아니었지만. 후배를 따라 하늘을 올려다보고 있으면 뭔가 후련해지는 기분이었어요. 보름달이 뜨는지 구름이 끼는지 살피기도 하고, 오늘은 별이 떴나 지켜보기도 하고. 그러다 후배가 어느 날 제안했어요. 형, 우리 여기 가게 오픈하자. 아무나 와서 마음껏 하늘을 올려다볼 수 있게. 늘 떠돌기만 하던 녀석이 처음으로 정착의 의지를 보이는 것 같아서 반

가운 마음에 열었던 가게였어요. 이렇게 많은 사람들이 하늘을 보러 올 줄은 상상도 못했죠.

사장이 손을 뻗어 옥수수를 하나 집어 들면서 덧붙였다. 가끔 후배는 어디론가 훌쩍 떠나기도 해요. 옥수수를 키우러 시골집에 한동안 가 있을 때도 있고요.

사장의 이야기를 들으며 나는 현성을 떠올렸다. 오로라가 보이지 않는 밤에도 현성은 하늘을 바라보고 있었다. 별을 본다고 했다. 수없이 많은 별을 보고 있으면, 보고 싶은 얼굴이 떠오른다고 했다. 한국에 돌아오기 전, 현성과 나는 페이스북 친구가 되었다. 그는 멋진 오로라 사진을 찍으면 보내주겠다고 했고, 나는 오로라를 보러 꼭 다시 가겠다고 했다. 내가 눈이 왔으면 좋겠다, 라고 페이스북에 글을 쓰자 그는 무릎까지 눈 속에 파묻힌 사진을 댓글로 달았다. 한국에 돌아오지 않을 거라던 현성은 어느 날 갑자기 한국에 돌아왔다고 했고, 한 번 만나자는 말을 서로 몇 번이나 했지만 결국 한 번도 만나지 못했다.

외국에서 짧게 만난 현성과 연락을 오래 하게 됐던 건 무심코 그가 했던 말 때문이었다. 단체 관광객을 인솔하다보면 돌발행동을 하거나 눈살 찌푸리게 하는 사람을 만나기 마련인데, 현성은 한 번도 화를 내거나 인상을 쓰지 않았다. 일행이 싸우고 현성에게 화풀이를 하는 순간을 목격하고 마음고생을 한다 싶어 힘들겠다고 말을 걸었더니, 현성은 의외의 말을 했다. 괜찮아요. 저는 별로 신경 안 써요. 좋은 사람을 좋아하기에도 짧은 인생인데 남을 미워하는 데 쏟을 시간이나 에너지 같은 건 없거든요. 과거의 어느 순간을 만들어낸 누군가를 원망하느라 몇 년을 낭비했던 나였다. 내 인생을 그렇게 허비했다는 것이 충격으로 다가와 쉽게 가라앉지 않았다. 여행이 끝난 후 다시 일상을 살아가며 마음이 부대낄 때마다 그의 말을 떠올렸다. 한 번 뿐인 내 인생을 미움과 원망으로 채우지는 말자. 부정적인 감정으로 마주치는 사람들과는 적당한 간격을 유지하려 애썼고, 몫이 아닌 원망을 가족에게 돌리지 않으려 노력했다. 회사는 다닐 만 해졌고, 가족들과는 부딪히는 일이 줄었다. 오로라가 내 인생을 바꿔주지는 않았지만, 적어도 그 날 이후 내 삶의 태도는 조금 바뀌었던 것 같았다.

평소에 옥수수를 좋아하지 않았지만, 먹음직스러워 보이는 옥수수를 하나 집어 들었다. 별을 좋아하는 사람이 가족과 함께 먹으려고 키웠다는 옥수수는 어쩐지 꼭 먹어야만 할 것 같았다. 옥수수는 아직 따뜻했고 자연스러운 단 맛이 입안을 가득 채웠다. 이곳에서 먹은 것 중 가장 맛있는 음식이었다. 이미 잠이 들었을, 옥수수를 좋아하는 동생이 떠올랐다. 옥수수 좋아하시면 몇 개 싸드릴게요, 라고 말하며 옥수수를 담을 비닐을 가지러 사장이 가게 안쪽으로 들어갔고 나는 다시 고개를 들어 하늘을 올려다보았다. 어느새 구름이 걷히고 있었고, 골목에선 개 짖는 소리가 들려왔다. 이곳을 좋아하게 되겠구나, 라고 생각하면서 나는 맨얼굴을 드러내고 있는 밤하늘을 바라보았다.

돌아보는 순간

경호는 세종대왕 동상의 뒷모습을 바라보고 있었다. 나는 횡단보도 맞은편에서 신호가 바뀌기를 기다리며 광화문 광장에 머물러 있는 사람들을 바라보았다. 촛불시위로 대통령이 바뀐 이후 광화문에는 크고 작은 목소리를 내는 사람들이 몰려들었다. 천막을 치고 스피커를 동원해서 장기간 집회를 하는 사람들부터 피켓을 들고 1인 시위를 하는 사람들까지 광화문 광장은 쉴 새 없이 자기 이야기를 하는 사람들로 가득 찼다. 수많은 말들은 그것을 토해낸 이들의 의도와는 달리 누군가의 귀에 도달하지 못한 채 버려졌다. 칼날이 날아드는 것 같아, 나는 그들의 목소리를 애써 외면하며 생각했다.

대여한 한복 차림으로 셀카봉을 활용해 사진을 찍는 외국인 단체 관광객도, 이름은 각기 다르지만 그날의 행사를 운영하는 부스를 만드는 사람들도, 모두가 광화문 광장의 중심부에 자리잡았다. 그곳에서 경호는 항상 누군가의 뒷모습을 바라보고 있었다.

초록색 신호가 켜졌고, 나는 슬그머니 경호 쪽으로 다가갔다. 애써 발소리를 죽이고 기척을 없앴지만 딱 한 걸음을 남겨두고 경호는 나를 바라보며 웃었다.

"왔네."

잠깐이지만 웃음이 그 얼굴을 전부 차지하는 순간이 좋아서 매번 경호의 얼굴을 똑바로 바라보곤 했다.

"어제 어떤 책에서 읽었는데, 저자가 무기수로 복역하던 시절에 독방의 작은 창문으로 들어오는 신문지만한 햇빛이 하루를 버티는 힘이 되었다고 하더라. 그 빛을 기다리며 내일을 맞이할 수 있었다고. 하루를 살아가는데 필요한 건 어쩌면 아주 사소한 행복일지도 몰라."

혼잣말처럼 말하며 경호는 눈을 반쯤 감고 웃었다. 그에게는 이곳에서 햇볕을 쬐는 30분이 그 무기수의 신문지만한 햇빛과 같다고 했다. 얼마나 무거운 하루가 그에게 지워지는지는 알 수 없었지만 그의 말이 한 치의 과장도 없는 진심이라는 것은 알 수 있었다. 우리에게 그 곳은 작은 섬 같았다. 자유로운 공기와 온기가 느껴지는 햇볕과 진심만 이야기하는 우리 둘만 존재하는, 낯선 섬.

4년을 다녔던 첫 회사를 그만두고 헤드헌터의 추천으로 얼떨결에 입사한 두 번째 회사였다. 여러 곳의 회사에서 합격 통보를 받았지만 이 곳을 골랐던 이유는 회사의 위치 때문이었다. 조금만 서두르면 경복궁도, 인사동도, 삼청동도 다녀올 수 있는 거리에 있었다. 자연스레 커피 한 잔을 손에 들고 직장동료들과 수다를 떨며 산책하는 생활을 기대했지만 그 기대는 첫날부터 무참히 깨져버렸다. 12시가 되면 종이 울렸고, 종소리가 끝나기도 전에 사무실의 모든 불이 꺼졌다. 사람들은 밥을 먹으러 일제히 일어나 우르르 몰려나가거나 의자에 몸을 파묻고 눈을 감았다. 팀 동료들과 구내식당에서 10분 만에 밥을 먹고 돌아온 깜깜한 사무실에서 나도 모르게 다들 좀비같아, 라고 중얼거렸고 그 말을 들은 팀장이 눈을 반쯤 뜨고 말했다.

"김 대리, 안 자도 돼. 나가 놀아."

그 말이 마치 신호라도 된 듯 점심시간이 되면 구내식당에서 밥을 먹고 혼자 회사 주변을 탐색했다. 힐을 신고 출근한 날은

테라스 카페의 야외자리에 앉아 햇볕을 쬐었다. 해가 미처 다 뜨기도 전에 출근해서 해보다 늦게 퇴근하는 일상 속에서 햇볕을 쬘 수 있는 시간은 점심시간 밖에 없었다. 고작 2,30분의 짧은 시간이었지만 태양열 발전이라도 하듯 온몸으로 따스한 햇살을 받아들이고서야 오후를 버텨낼 기운을 얻곤 했다.

미국대사관을 지나 광화문 광장을 향해 난 횡단보도를 건넌 후, 세종대왕 동상 앞을 지나쳐 다시 짧은 횡단보도를 건너면 보이는 카페에서 우리는 처음 만났다. 아니, 서로를 발견했다. 일주일에 두어 번은 마주쳤지만 말을 거는 일은 없었다. 그냥 점심시간에 이 카페에 자주 앉아있는 사람이구나, 라고 알아차렸을 뿐이었다. 적어도 나는 그랬다. 내가 그 카페를 고른 이유는 단순했다. 회사 건물이 앞 건물에 완벽하게 가려져 보이지 않았다. 실제 거리와는 상관없이 눈에 보이지 않는 것만으로도 충분했다.

소나기가 세차게 쏟아지던 날이었다. 슬금슬금 발을 적셔오는 빗물에 갇혀 카페를 떠나지 못하고 건물 너머를 멍하니 바라보았다. 하필 입고 온 실크 블라우스는 엊그제 세탁소에서 찾아온 데다, 비에 젖어 몸에 달라붙은 채로 사무실에 들어가기엔 적합하지 않은 옷이었다. 회사 사람에게 부탁해서 우산을 가져다달라고 하기엔 길을 두 번이나 건너야 하는 게 마음에 걸렸고, 그보다 잠들어있을 누군가를 깨울 자신이 없었다. 근처 편의점에서 우산을 사려면 몇 분이나 비를 맞아야 하는지를 초조하게 계산하고 있을 때 그가 처음으로 말을 걸어왔다.

"우산이 없어 곤란하신 것 같은데, 제가 씌워드릴게요."

거친 물살을 가르고 도착한 구명선을 마다할 이유가 없었다. 나는 기다렸다는 듯이 그의 장우산 안으로 몸을 피했다. 내 목에 걸린 사원증을 흘끗 바라보더니 그는 자연스럽게 회사 앞으로 발길을 옮겼다. 그날 이후 우리는 가끔 그곳에서 만나면 눈인사를 하고, 안부를 묻고, 함께 커피를 마셨다. 그는 언제나 바닐라 시럽이 들어간 라떼를 주문했고 나는 계절과 상관없이 뜨거운 아메리카노를 마셨다. 커피 맛은 그저 그랬지만, 우리들의 시간은 그렇지 않았다.

갑작스럽게 잡힌 회의가 지연되어 평소보다 늦게 도착했던 날, 경호는 어딘가를 유심히 바라보고 있었다. 처음엔 하늘을 바라보는 줄 알았는데 그는 세종대왕 동상의 뒷모습을 바라보고 있었다고 했다.

"뒷모습을 바라보면, 그 사람의 진짜 모습이 보여."

"진짜 모습이 뭔데?"

"화장이나 변장으로 가릴 수 없는 사람의 무의식적인 행동이지. 숨기려 해도 숨길 수 없는 모습들 말이야. 이를테면 넌 걸을 때 고개를 오른쪽으로 15도쯤 기울이고 어깨를 늘어뜨리고 아주 천천히 걸어. 저 사람은 발꿈치를 들고 사뿐사뿐 걷지, 허리를 꼿꼿하게 세우고. 그리고 저 사람은 가슴을 젖히고 턱을 내밀고 성큼성큼 걷지. 성형수술을 해서 얼굴이 변해도 걷는 습관은 좀처럼 변하지 않아. 정면에서 마주치면 눈을 피하거나 표정을 바꿔서 자신을 숨길 수도 있지만 뒷모습은 숨기거나 피할 길이 없잖아. 그래서 난 사람들의 뒷모습을 바라보는 게 재미있어. 그 사람의 진짜 목소리가 들리는 것 같아."

광장을 둘러싼 수많은 사람들의 얼굴을 바라보며 나는 그들의 뒷모습을 상상했다. 표정이나 옷차림에 현혹되지 않는, 그 사람의 진짜 모습. 나는 어떤 뒷모습을 갖고 있는 거지? 아니 그보다 경호는 왜 다른 사람의 뒷모습을 좇기 시작한 걸까. 궁금했지만 어쩐지 물어볼 수 없었다.

"나 내일도 여기 와야 하는데."

"주말 근무야?"

"아니, 저거 해야 하거든."

나는 광화문 광장 한편에 나란히 줄지어 있는 하얀 천막들을 가리켰다. 물품보관소, 홍보부스, 안내데스크, 간식배부처라고 씌어진 표지판이 천막 위에 부착되어 있었다.

"마라톤 하는 날이야. 일 년에 두 번씩 의무적으로 참석해야 한다고 했었잖아. 평일에 그만큼 부려먹었으면 주말엔 좀 쉴 수 있게 해줘야지. 주말에도 회사 사람들 얼굴을 봐야 하다니."

"난 달리기 좋아하는데. 달리는 동안에는 세상에 나 혼자 있는 것 같아서 마음이 편해. 그리고 다 같이 하는 운동이 아니라 마라톤이라서 얼마나 다행이야. 달리는 속도가 다르면 끝날 때까지 안 마주칠 수도 있을걸?"

경호는 동갑인데도 훨씬 어른스럽게 느껴질 때가 있었다. 내가 별것 아닌 투정을 부리는 어린아이가 된 것 같았다. 저런 평정심은 타고나는 건가, 생각하며 시선을 떨어뜨렸다. 오전에 내린 비로 바닥에 작은 물웅덩이가 군데군데 생겨있었다. 검은색 아스팔트에 고인 물이 하늘을 한 움큼 잡아두고 있었다. 참 예쁘네, 바닥을 보며 나는 말했고 경호는 고개를 들어 그렇네, 라고 대답했다.

"오늘은 내가 커피 살게, 성과급 받았거든. 그런데 마음이 편치가 않아."

궁금한 얼굴로 돌아보는 경호에게 나는 말했다.

"나는 자연을 개발하고 훼손하는 것에 빚진 마음을 갖고 있는 사람인데, 우리 회사는 전혀 반대 입장이잖아. 강을 메우고 섬을 없애고 도로를 깔고 건물을 짓는 게 회사의 업이니까. 내가 일을 열심히 하면 할수록 내가 지향하는 가치와는 반대로 가는 것 같아. 이런 마음으로 회사를 계속 다녀도 되는 건지 자신이 없어져. 내 영혼을 돈에 팔고 있는 걸까? 어떻게 생각해?"

경호는 잠시 말이 없어졌다. 작게 한숨을 내쉬더니 평소와 달리 단단한 말투로 말하기 시작했다.

"나도 언젠가 무척 고민했던 적이 있었는데, 구조적인 문제를 개인에게로 투영시켜서는 안된다고 결론내렸어. 그 무게를 온전히 견뎌낼 수 있는 개인은 없으니까. 그리고 사실 사회 구조적인 문제를 개인의 탓으로 돌리는 건 비합리적이잖아?"

때마침 울린 진동벨을 들고 커피를 가지러 가는 경호의 뒷모습을 바라보며, 너는 뭘 극복해야 하는 거니? 라고 닿지 않을 목소리로 중얼거렸다. 생각해보면 항상 힘들다고 말하는 건 나였고, 듣고 위로하는 것은 경호의 몫이었다.

경호는 프로젝트 단위로 계약하고 일하는 프리랜서였다. 대화를 나누며 알게 된 그의 스펙과 경력을 들어봤을 때 왜 정규직으로 일하지 않는지 궁금했지만, 그것에 대해 따로 물어본 적은 없었다. 소속을 가지는 대신 잃어야 하는 것이 아주 많다는 것은 누구보다 잘 알고 있었으니까. 프로젝트와 프로젝트 사이에 한 달쯤 공백이 있긴 했지만 경호는 언제나 다시 돌아왔고, 우리는 광화문 광장을 가로질러 도착하는 카페의 맨 가장자리에 함께 앉아 햇볕을 쬐곤 했다. 경호는 공백 기간이 되면 그야말로 단절 상태가 되었다. 어떤 것으로도 연락이 닿지 않았다. 처음엔 그 사실이 당혹스러웠지만 시간이 흐르며 그것조차도 자연스러워졌다. 경호가 돌아오기를 기다리면서 나는 혼자 커피를 마시며 사람들의 뒷모습을 바라보다 사무실로 돌아가곤 했다.

경호의 계약이 끝나는 날이면 커피 대신 점심을 함께 먹는 것이 우리의 암묵적인 룰이었다. 근처 맛집을 검색하고 예약까지 했지만 막상 약속한 날에 나는 그곳에 갈 수 없었다. 오전부터 오너의 갑질 행태가 언론을 통해 사회적 이슈로 부각되었고, 국민적 공분에 부응이라도 하듯 특별근로감독관이 방송국 기자들과 함께 등장했다. 갑질이 빌미가 되어 조사하러 온 근로감독관은 담당임원이 자신을 맞이하자 불쾌함을 감추지도 않은 얼굴로 사장이 나와야지, 라고 내뱉듯 말했다. 우리는 뉴스로만 접했던 갑질이 무엇인지를 오너가 아닌 근로감독관을 통해 경험할 수 있었다. 그들이 퇴근하는 오후 5시가 되면 요청 자료 목록이 빼곡히 적힌 문서가 우리 앞으로 전달되었고, 아침 9시까지 자료를 준비하라는 지시사항이 덧붙여졌다. 정신없이 자료를 만들다보면 새벽이 되었고, 집에 잠깐 들러 옷을 갈아입고 씻으면 금세 출근시간이 다가왔다. 지치게 길었던 며칠간의 시간들이 결국 끝이 났고, 나는 그제야 경호를 떠올릴 수 있었다.

 내가 약속장소에 나타나지 않았던 그날, 경호는 내게 아무런 연락을 하지 않았다. 경호는 아마 혼자 밥을 먹고, 카페에 앉아 동상의 뒷모습을 바라보고, 지나가는 사람들의 뒷모습을 바라보며 시간을 보냈을 것이다. 그리고 사라졌을 것이다. 아무런 설명 없이 약속을 어긴 것이 오랫동안 마음에 걸렸지만, 늘 그랬듯 한 달이 지나면 경호가 다시 카페에 나타나리라 생각했다. 그땐 내가 커피라도 한잔 사야지, 가벼운 부채의식 같은 것이 마음속에 앙금처럼 자리 잡았다.

 그러나 한 달이 흐르고 두 달이 지나도 경호는 나타나지 않았다. 언젠가부터 카카오톡 대화창에서 경호는 (알 수 없음)으로 표시되었다. 카카오톡을 삭제한 것 같았다. 광화문 광장 너머의 카페에서 매일같이 기다렸지만, 그는 오지 않았다. 경호는 그곳에서 햇볕을 쬐는 것이 가장 행복한 시간이라고 했없는데 이젠 더 행복한 시간을 찾아낸 걸까, 아니면 이것조차도 허용되지 않는 어둠으로 빠져 들어간 걸까. 궁금하면서도 걱정스러운 마음이 가시지 않았다. 마음으로만 안부를 묻는 외로운 날들이 쌓여갔다.

경호를 잃어버리고 나서, 나는 사람들의 뒷모습을 살피기 시작했다. 경호의 말처럼 사람들의 뒷모습은 어딘가 조금씩 달라보였다. 어깨를 살짝 굽히고 일직선으로 발을 뻗으며 사뿐사뿐 걷던 경호의 걸음걸이를 기억했다. 가볍게, 기척을 내지 않고 걸어다니던 경호의 뒷모습은 소리 없는 바람 같았다. 경호를 찾아내기라도 하려는 듯 나는 집요하게 사람들의 뒷모습을, 특히 걸음걸이를 유심히 보게 되었다. 시간이 흐르면서 경호를 찾겠다는 마음은 희미해졌고, 그저 습관처럼 낯선 사람들의 각기 다른 걸음걸이를 수집하듯 바라보게 되었다.

첫눈이 내리고 기온이 뚝 떨어진 어느 아침, 여느 때처럼 사람들의 발을 쳐다보며 걷다가 한 중년 남자의 왼쪽 바짓단에 색이 바랜 단풍잎이 달라붙어 있는 것을 발견했다. 지하철을 타기 전 달라붙었을 젖은 낙엽을 신경쓰지 않는 듯 그는 바삐 발걸음을 옮기고 있었다. 마치 계절이 그 남자의 발목에 매달려 성큼성큼 걸어가는 것 같았다. 느지막한 가을의 흔적이 경호의 존재처럼 내게서 멀어지고 있었다.

또 하나의 계절이 지나간 후, 습관적으로 들렀던 카페에서
광화문 광장의 세종대왕 동상을 바라보는 낯선 남자를 발견
했다. 멀리서 봐도 경호가 아니라는 것은 알 수 있었다. 가만
히 자리에 앉으려는데, 그가 나를 바라보더니 놀란 표정으로
아는 척을 했다.

"어? 안녕하세요? "

혹시 내가 아는 사람인데 기억을 못하는 걸까, 당혹스러움을
애써 지우고 아무리 생각해봐도 내 기억 속엔 없는 얼굴이었
다. 그냥 오며가며 봤는데 아는 척 하는 건가? 사회성 정말 좋
은 사람인가보네, 라고 생각하며 가볍게 목례를 했다.

"저는 오늘 여기 처음 앉아봤는데, 친구가 이 곳 이야기를 많
이 했거든요."

다른 사람과 이야기를 나누던 모습을 보며 고개를 돌렸는데
어느새 그가 가까이 다가와 말을 건넸다. 이상한 사람일지도
모른다는 의구심과 동시에 잊지 못한 얼굴이 머릿속에 떠올
랐다. 나도 모르게 경호의 이름이 입 밖으로 튀어나올 뻔 했지
만 그의 말이 조금 더 빨랐다.

"알리샤 라고, 오래된 친구가 있는데 여기에서 사람 구경을

자주 한다고 했거든요. 그리고 자기처럼 이곳에서 사람 구경을 하는 여자분이 있다고 말해줘서 꼭 아는 사람처럼 인사해 버렸네요."

사람들은 서로에게 무관심한 것 같지만 내가 그들을 관찰하는 것처럼 나도 누군가에게는 관찰대상이었다는 생각이 들었다. 그렇다면 혹시 알리샤 라는 사람은 경호의 마지막 모습도 보았을까. 궁금했지만 옆에 있는 남자는 알리샤가 아니었고, 무의미한 질문은 하고 싶지 않았다.

누구에게도 방해받지 않으려고 찾아온 곳에서 그가 자꾸 말을 걸어오자 귀찮은 기색을 숨기지도 않고 퉁명스럽게 그에게 말했다.

"그런데 저는 알리샤 라는 분을 알지도 못하는데, 왜 자꾸 저한테 알리샤 이야기를 하시는 거죠? "

남자는 얼굴생김처럼 눈까지 동그래져서 되물었다.

"알리샤, 알잖아요."

"아니, 본 적도 들은 적도 없어요."

"분명히 자주 만나서 신문지만한 햇볕을 같이 쬐었다고 했었는데."

순간 무언가에 얻어맞은 듯 멍해졌다.

"혹시 경호 말이에요? "

"아, 경호. 그렇게 알고 계시는 거군요."

처음엔 머뭇거리다, 나중엔 표현을 골라가며 남자가 솔직하게 내게 전해준 이야기는 상상도 하지 못했던 것이었다. 남자의 몸으로 태어났지만 성 정체성은 여자였던 경호는, 그의 능력은 필요했지만 보수적인 문화를 유지하고 싶어하는 회사의 정책에 따라 프로젝트 계약으로만 일하고 있었다. 오랫동안 함께 일했던 사람들은 경호에게 성 정체성을 숨기고 정규직으로 취직하는 것이 어떻겠냐며 좋은 자리를 제안하기도 했지만, 경호는 자신에게 부끄럽지 않으니 숨길 것도 없다며 몇 번이나 거절했다. 경호와 함께 일한 사람들은 언제나 다음번에도 함께 일하길 원했고, 그렇게 조직에서 인정받고 자기자리를 잡아가고 있었다. 그날 그 사건이 일어나기 전까지는 누구도 경호의 성 정체성을 문제삼지 않았다. 그들이 다른 사람들보다 깨어 있는 사람이었다기 보다는 모두가 묵인하는 사안을 혼자 나서서 문제제기하고 싶지 않았을 뿐인지도 모른다고 남자는 전했다. 어느 조직에서건 튀는 사람은 좋아하지 않으니까요, 라고 그는 덧붙였다.

생각해보면 경호는 가끔 가벼운 화장을 하고 나타나기도 했고 여성스러운 옷차림을 할 때도 있었다. 요즘엔 남녀공용으로 입는 옷도 많고, 남자가 화장을 하는 것도 그리 놀라운 일은 아니었기에 별다른 생각을 하지 않았다. 경호를 만나면서 이상하거나 낯설게 느꼈던 적은 한 번도 없었고, 그에게 그런 종류의 고민이 있다는 것조차 전혀 알지 못했다. 내가 알던 경호가 이 사람이 말하는 알리샤 라는 사람이 맞는 걸까, 의심스러운 마음을 숨기지 못했다.

"그런데 경호는 왜 사라진 거죠? "

경호는 조직 안에서 눈에 띄는 존재였지만, 성과를 내는 그의 능력은 회사에 반드시 필요한 것이었다. 성과만 낼 수 있다면 그 외의 것들은 얼마든지 용인해줄 수 있는 부분이라고 의사결정자들이 판단했다. 그렇게 몇 년간 그와 회사는 서로의 필요 요건들을 잘 충족해가며 좋은 관계를 유지하고 있었는데, 마지막 계약이 끝나던 날 바로 그 사건이 벌어졌다고 했다.

경호는 자신의 성 정체성을 고수하고 있었기에 계약서를 작성할 때마다 자신이 여자 화장실을 사용하는 것을 반드시 조건으로 내걸었고, 경호의 사정을 아는 사람들이 대부분이었기 때문에 별 문제없이 그 조건은 받아들여졌다. 처음 조직 내에서 그에 대한 소문이 돌며 화젯거리가 된 적이 있었지만, 실제로 경호와 함께 지내본 사람들은 하나같이 입을 모아 그를 두

둔했다. 경호는 기본적으로 모든 사람들과 일정한 거리를 두고 정중하게 대했기 때문에 누구와도 사이가 나빠질 계기가 없었다. 예의바르고 업무능력이 뛰어난 프리랜서, 그것이 경호를 수식하는 표현이었다.

사건은 프로젝트 결과보고를 준비하던 날 일어났다. 미팅에 참석한 여성 클라이언트가 화장실에서 경호와 마주쳤고, '남자'인 경호를 여자 화장실에서 마주친 것에 대해 경악하며 비명을 질렀다. 우연히도 그날 아침 남녀공용화장실에서 한 남자가 어떤 여성을 무차별적으로 살해한 사건이 뉴스에 보도되었고, 클라이언트는 경호를 마치 살인범을 바라보듯 경멸하는 눈빛으로 쏘아보았다. 충분한 설명을 거친 후 클라이언트는 겨우 충격에서 벗어났지만 자신의 상식에서는 여전히 받아들일 수 없다며 고집을 부렸다.

"저 사람이 만든 프로그램은 절대 사용하고 싶지 않아요. 앞으로 우리와 계약하고 싶으면 저 사람은 쓰지 않는 것이 조건이에요."

회사에서 소문은 빠른 속도로 퍼져갔고 직원들은 모이기만 하면 이 사건을 화젯거리로 삼았다. 사실, 좀 불편하지 않아? 내가 그 사람 얼굴을 몰랐을 때, 처음 화장실에서 마주치고 얼마나 놀랐는데. 그리고 한 사람을 허용해준 선례를 만들면 다른 사람이 그걸 범죄에 악용하지 말란 법도 없잖아. 요즘 세상이 얼마나 무서운데. 여직원 한 명이 조심스럽게 말을 꺼냈다. 아무리 능력이 중요하다지만 회사에서 너무 안일하게 생각하고 처리한 거 아냐? 왜 특정인 한 명을 배려해주느라 더 많은 여직원들이 불편을 감수해야 하는 건데? 본부장 비서가 화를 내며 말했다. 그리고 사실 우리 회사 정직원도 아니잖아. 프로젝트 단위로 계약하는 거라며. 다음엔 그 사람 안 쓰면 그만 아냐? 채용을 담당하는 과장이 거들었다. 왜들 이래요. 모르는 사람도 아니면서. 그 사람이 뭐 잘못한 게 있어요? 숨기고 들어온 것도 아니고, 애초에 다 협의한 사항인데. 그리고 화장실만큼은 본인이 편하게 사용할 수 있게 해 주는 게 맞는 거 아닙니까? 그건 인간으로서 누려야 할 당연한 권리예요. 노무사 시험 준비를 하고 있는 대리가 경호의 편을 들었다. 거참, 뒤에서 이상한 소문 퍼뜨리지 말아요. 그러다 회사 분위기 엉망되니까. 조직문화 담당 과장이 길어지는 대화 속에서 피어나는 갈등을 무마했다. 화장실을 청소하던 미화원 아주머니는 눈물을 훌쩍거렸다. 그 사람이 얼마나 점잖고 속이 깊은데. 내가 허리도 못 펴고 하루종일 일했더니 나중엔 허리가 너무 아파 두드리고 있었단 말이야. 그새 그걸 보고 의무실에서 파스를 받아다 주더라니까. 어디 아가씨가 나한테 말 한번 곱게 해

본 적 있어요? 소리 높여 화를 내던 비서를 가리키며 말했다. 여자 화장실 쓰는 게 뭐 그리 큰 문제라고. 암튼 참 좋은 사람 이야, 괴롭히지 말아요. 한 달 뒤에 시작하는 새로운 프로젝트를 경호와 함께 하기로 했던 팀장은 경호를 빼고 일을 그르치면 누가 책임질 거냐며, 저만큼 성과를 내는 사람을 당장 어디가서 구해 오냐고 울분을 토했다. 경호를 쓸건지 말건지 빨리 결정해서 입장을 가져오라고 클라이언트가 닦달한다며, 담당 직원이 발을 동동 굴렀다. 누구도 경호를 비난하지 않았지만 모두가 경호에 대한 이야기를 떠들어댔다. 경호라고 그런 분위기를 모를 리 없었다.

상황을 정리하기 위해 조직을 이끄는 사람들은 결정을 내려야만 했다. 그들에게는 매출에 직접적인 영향을 주는 클라이언트가 훨씬 중요했을 것이다. 둘 중 하나를 골라야 하는 상황이 주어졌다면 경호를 선택하지는 않았을 것이다. 그런 것쯤은 쉽게 예상할 수 있었다.

"그래서 회사에선 경호를 버렸나요?"

남자는 고개를 저었다. 회사 측에서는 경호를 불러 저 클라이언트가 아닌 다른 프로젝트를 함께 하면 된다, 좀 힘들겠지만 네가 참고 넘겨라, 라고 설득했지만 경호는 굳은 얼굴로 자리에 돌아와 짐을 싸서 사라져버렸고 그 날 이후 누구와도 연락이 되지 않았다고 했다.

"아무도 자신에게 사과를 하지 않았다는 게 좀 충격이었나 봐요. 모두가 당연하게 경호에게 상대방을 이해하라, 견디라고만 했거든요."

점심시간이 끝나가고 있었지만 이야기를 끊고 자리를 뜰 수 없었다. 남자는 말을 이어갔다.

몇 달 전 참석한 해외 콘퍼런스에서 우연히 경호를 마주쳤을 때, 좀더 여성스러운 모습으로 변한 경호는 남자에게 알리샤라는 이름이 찍힌 명함을 건네주었다고 했다. 외국에서 일을 하고 있어서 당분간 한국에는 돌아가지 않을 것 같아. 여기에서 해야 할 일이 참 많네. 경호는 빙긋 웃으며 남자에게 말했다. 콘퍼런스가 끝나고 저녁을 함께 먹으며 이름을 왜 알리샤라고 바꾼 거냐고 물었더니 그냥 그 이름이 마음에 들었다고 했다. 이제껏 그냥 마음에 들어서 한 것이 아무것도 없었어. 언제나 개인과 사회의 경계선 위에서 균형을 잡느라 힘들었거든. 그런데, 이름 하나를 바꾸었을 뿐인데 자유로운 느낌이 들어. 이곳에서는 따로 조건을 붙여 협의하지 않아도 되고, 자기 몫만 제대로 해내면 아무 문제가 없어. 새롭게 시작하는 마음으로 일단 이름부터 바꿨어. 경호보다 알리샤가 내게 훨씬 어울리지 않아? 경호의 얼굴이 편안해보여서 남자는 그때부터 알리샤 라고 부를 수밖에 없었다고 했다. 그러다 알리샤가 문득 광화문에 좀 가보라며 내 이야기를 꺼냈다고 했다. 경계선을 신경쓰지 않고 편안하게 지낼 수 있었던 친구가 있었어. 그런데 점심을 함께 먹기로 해놓고 나가지 않아서 내게 화가 난 것 같아. 너도 알다시피 그땐 내 상황이 안 좋았잖아. 마음의 여유가 없으니까 아무하고도 연락하지 않게 되더라고. 그러다 갑자기 프로젝트가 생겨서 급하게 출국하는 바람에 또 연락을 못했고. 시간이 너무 지나고 나니까, 어디서부터 어떻게 설명을 해야 할지 모르겠더라. 상처받았을까봐 걱정도 되고. 혹시 점심시간마다 광화문의 카페 맨 가장자리에 혼자 앉아 있는 여자를 보게 되면 소식을 좀 전해줘. 나는 잘 지내고 있고, 나중에 언젠가 꼭 다시 만나고 싶다고. 신문지만한 햇빛으로 하루를 잘 견디고 있으라고.

처음엔 내가 아닌 그 남자에게만 다시 연락을 했다는 것으로 오해하고 작은 배신감을 느꼈었는데, 그의 이야기를 듣다보니 낯선 감정들과 복잡한 생각들이 뒤섞여 머릿속을 어지럽혔다. 혹시 내가 별 생각 없이 그를 상처 입혔던 순간은 없었을까. 나에게 이야기하지 못하고 혼자 견뎌낸 시간이 있었을까. 경호는, 경호는, 경호는, 끝없이 이어지는 생각을 견딜 수 없었다.

"알리샤가 잘못한 거라고 생각해요? 난 남자라서 별로 그런 생각을 할 기회가 많지는 않지만, 여자 입장에서는 충분히 무서울 수 있는 상황이라는 생각이 들더라구요. 그렇다고 알리샤에게 남자 화장실을 쓰라고 강요할 수는 없었어요. 그건 개인에게 너무 폭력적인 행위니까." 아무 말도 하지 않는 나를 바라보며 그는 덧붙였다.

"외국엔 남자 화장실, 여자 화장실 뿐만 아니라 성중립 화장실이 별도로 있는 나라들이 있더라구요. 성 소수자들을 위한 배려가 사회적인 구조 속에 녹아 있는 거죠. 우리나라에도 의외로 그런 곳이 있어요. 학교 밖 청소년들의 직업훈련을 목적으로 설립된 기관에 업무미팅 차 방문 했었는데, 거기 화장실이 특이하게 되어 있더라구요. 그곳의 남자 화장실은 분홍색, 여자 화장실은 하늘색으로 표시되어 있었고, 무지개색으로 표시된 별도의 화장실이 있었어요. 모두를 위한 화장실이라고 하더군요. 우리 사회도 그런 경계지역이 많아져야 한다는 생각이 들었어요. 만약 이런 제도가 보편적으로 운영되었다면 알리샤도 '경호'인 채로 한국에서 살 수 있었겠죠." 남자의 말에 연신 고개를 끄덕일 뿐 나는 여전히 아무런 말도 할 수 없었다.

　나는 결국 점심시간을 한참 넘겨 사무실에 들어갔고, 커피를
두 번이나 쏟았고, 품의서를 세 번이나 반려당했다. 네 번째로
품의서를 수정하려고 했지만 손은 좀처럼 움직이지 않았다.
한 글자도 쓰지 못한 채 모니터 화면을 노려보고 있는 내게 옆
자리 직원이 물어왔다. 무슨 일 있어? 어디 아파? 팀장의 의
아한 시선이 줄곧 나를 따라왔고 팀원들의 걱정스러운 말을
뒤로 하고 나는 결국 조퇴를 해야만 했다.

*

　일요일 아침 8시, 평소에는 침대에 누워 있을 시간이었지만
나는 잠실종합운동장 앞에서 준비운동을 하고 있었다. 하늘도
파랗고 바람도 선선하게 불어 달리기 좋은 날이었다. 회사 사
람들과의 문화행사 라는 명목으로 끌려온 자리가 아니었다면
참 좋았을텐데, 수시로 떠오르는 쓸모없는 가정을 머리에서
지워야만 했다. 이제 곧 마라톤 경기 시작을 알리는 총소리가
들릴 것이고, 경기장을 가득 메운 사람들과 함께 첫 발을 내디
뎌야 할 것이다. 기록을 따져 순위권에 들면 상금을 준다고 했
지만, 나는 기록갱신에 대한 욕심은커녕 완주하는 것이 목표
인 채로 3년째 대회에 참가하고 있었다.

처음 마라톤 경기에 참가해야 한다는 이야기를 들었을 때 덜컥 겁부터 났다. 고등학교를 졸업하면서 대학생의 자유를 얻는 것보다 체육시간이 앞으로 영원히 없다는 사실이 더 기뻤던 나로서는 마라톤은 절대 도전하고 싶지 않은 어떤 장벽 같은 것이었다. 선배들은 매일같이 연습하지 않고서는 완주하기 어렵다, 회사 행사만 아니면 절대 안할 일이다, 라며 겁을 줬다. 그러던 차에 한 선배가 출발하자마자 힘들다며 기권하자고 제안했고 나는 덥석 그 제안을 받아들였다. 고작 1km를 달리고 기권한 우리와는 달리, 있는 힘껏 끝을 향해 달려온 사람들의 얼굴을 결승점 근처에서 마주한 나는 어쩐지 부끄러운 마음이 들었다. 다음번엔 중간에 포기하더라도 일단 내가 얼마나 뛸 수 있는지부터 알아보자는 생각을 했었다.

두 번째 참가한 마라톤 경기에서는 의외로 내가 포기하지만 않으면 결승점을 밟을 수 있다는 것을 알게 되었다. 물론 남들에 비해 형편없는 기록이었지만 내게는 포기하지 않고 끝까지 달리는 경험이 소중했다. 가끔 너무 늦게 달려 교통통제 시간이 지나, 등번호를 달고 일반 시민들의 시선을 받으며 신호등이 파란불로 바뀌기를 기다린 적도 있었고, 주최측 스태프가 기록측정판을 걷으면서 이제는 뛰어도 기록측정이 안된다며 사람들의 뒤를 따라오는 구급차를 타라고 해서 본의 아니게 중간에 기권한 적도 있었다. 그래도 나는 포기하지 않고 내가 할 수 있는 만큼 달렸다. 그게 중요하다고 생각했다.

부족한 잠을 애써 쫓으며 트레이닝복으로 갈아입고 습관적으로 카카오톡을 열어보았을 때 새로운 친구추가에 뜬 알리샤 라는 이름을 보았다. 알리샤가 보낸 두 개의 메시지가 있었다. 한참을 망설이다 그 이름을 눌러 프로필 사진을 확인해보았을 때, 내가 아는 것보다 훨씬 밝은 표정으로 경호가 웃고 있었다. 경호와 알리샤가 동일인물이라는 것을 머리로는 알았지만 마음으로는 받아들이기 어려웠다. 나는 아무런 답도 하지 못한 채 대화창을 닫았다. 진심이 아닌 말을 그에게 하게 될까봐 두려웠다. 차라리 침묵이 나을 것 같았다. 그는 그가할 수 있는 선택을 했고, 나는 생각을 정리할 시간이 좀더 필요했다.

다른 운동경기와는 달리 마라톤은 그저 혼자 달리기만 하면되었다. 몸에 지닌 모든 것이 결국 나중에 짐이 되기 때문에, 배와 등에 작은 옷핀으로 부착하는 번호표와 운동화끈에 매다는 기록측정용 칩을 제외하고는 어떤 것도 지니지 않았다. 맑은 정신으로 달리기에 집중하다보면 평소에 기억 저편으로 미뤄두었던 복잡한 문제들이 하나씩 존재감을 드러내며 떠올랐다. 어떤 것에도 방해받지 않고 온전히 생각할 수 있는 시간이었다. 나는 경호에 대해 생각했고, 알리샤에 대해 생각했다. 같지만 다른 두 사람 사이에서 나의 편견과 배려에 대해 생각했다. 생각하고 또 생각했지만 아무것도 명확해지는 것은 없었다.

페이스메이커들이 목표시간을 알려주는 화려한 색의 풍선을 손목에 묶은 채 뛰었고, 사람들은 자신의 목표기록에 맞는 페이스메이커의 뒤를 따라 뛰었다. 나는 사람들이 몰려오면 길을 막지 않게 피해주며, 달릴 수 있는 만큼만 달렸다. 10km를 줄곧 달리지는 못하지만 달리지 못할 땐 빨리 걷기라도 하자, 최소한 멈추지는 말자, 라고 생각했다. 어느새 많은 사람들이 내 앞을 빠르게 달려 지나갔고 나는 거의 맨 끝 무리에 포함되어 있었다.

평소에 연습을 좀 할걸 그랬지, 부질없는 후회를 하고 있을 때 한 무리가 나를 앞질러 달려갔다. 등에 달려있는 번호표의 색으로 그들이 하프 참가자라는 사실을 알았다. 내 평소 기록을 감안할 때 그들이 하프 코스와 10km 코스가 겹치는 구간에서 나를 추월해가는 건 놀라운 일이 아니었다. 내 앞을 달려가는 무리의 뒷모습을 바라보다 무언가 이상하다는 생각이 들었다. 열 명 남짓한 사람들이 서로의 손목을 끈으로 이어 달리고 있었다. 등번호에 기재된 그들의 소속을 눈여겨보았다. 그들은 모두 시각장애인이었다. 앞이 보이지 않는 사람들이 손목에 연결된 끈에 의지해서 속도를 맞춰 달리고 있었다.

그들의 뒷모습은 무너져가는 내 것과는 달리 곧고 당당하게 앞으로 달려가고 있었다. 내 시선이 느껴졌는지 그들을 인솔하며 달려가던 사람이 흘끗 뒤를 돌아보았고, 순간 나와 눈이 마주쳤다. 그는 살짝 고개를 끄덕이며 미소를 보냈다.

뒤돌아 보이던 미소에 바람같이 가볍게 걷던 경호의 뒷모습이 또렷이 생각났다. 기척을 죽인 채 다가가면 마지막 한 걸음을 남겨두고 뒤를 돌아보며 웃던 순간을 떠올렸다. 알리샤의 뒷모습도 같을까. 내가 그를 알아볼 수 있을까.

결승점 바닥의 붉은 판을 밟자 삑 소리가 나며 내 기록이 전광판에 떠올랐다. 저번 경기보다는 좋은 기록이었다. 거친 숨을 몰아쉬며 경기장 바닥에 드러누워 하늘을 올려다보았다. 구름 한 점 없는 파란 하늘이 두 눈 가득 들어왔다. 하늘이 참 예쁘네, 나는 온몸의 힘을 빼고 바닥에 늘어진 채로 중얼거렸다.

기록측정용 칩을 반납하고 간식꾸러미와 완주기념메달을 받은 후 설치되어 있는 부스를 돌아다니며 구경했다. 긴 줄을 기다려 스포츠마사지를 받고, 메달을 목에 걸고 포토존에서 완주 인증샷을 찍었다. 여전히 사람들은 자신만의 속도로 달리고 있었고, 나는 지쳐보이는 사람들에게 응원의 박수를 쳐주고 회사 사람들이 모인 곳으로 돌아왔다. 돗자리에 누워 풀코스에 참가한 사람들이 완주하고 돌아오기를 기다리며 하늘 사진을 여러 장 찍었다. 온몸을 감싸는 따뜻한 햇볕을 느끼며 가장 마음에 드는 사진을 한 장 골라 알리샤에게 전송했다. 기다렸다는 듯 대화창에서 숫자 1이 사라졌다.

슬픔의 방

1

　원래는 고민상담실 같은 임팩트 없는 명칭으로 시작된 공간
이었다. 명확한 이유를 밝히지 않고 회사를 떠나거나 다양한
병명으로 휴직신청을 하는 직원들이 유례없이 많아졌을 때,
때마침 실시한 컨설팅 업체의 조직진단 결과보고서에서 직원
들의 마음관리가 필요하다는 내용이 회장의 눈에 띄었다. 부
랴부랴 새로운 공간이 마련되었고, 신규 채용된 상담사가 그
방을 지켰다. 우리는 그곳을 슬픔의 방이라고 불렀다.

　경계하는 눈으로 바라보던 사람들이 하나 둘씩 상담을 받기
시작했고, 생각보다 나쁘지 않았다고 동료들에게 털어놓았

다. 어느새 입소문이 나서 첫 상담예약을 하려면 한두 달은 족히 기다려야 했다. 개인의 프라이버시를 보호하기 위해 비교적 눈에 띄지 않는 곳에 마련된 공간이었지만 그곳에 드나드는 사람들이 부쩍 많아졌다는 것을 나는 해원을 통해 알 수 있었다. 의무실에 근무하는 간호사인 해원은 슬픔의 방 바로 옆에 위치한 의무실에 들러 자신에게 필요한 약을 챙겨가며 슬픔의 방을 염탐하듯 바라보는 사람이 늘었다고 했다.

"언니, 되게 신기한 게 하나 있어. 사람들이 그 방에 들어갈 때 대체로 두 가지 표정을 짓고 있거든. 정말 힘들어 보이거나, 정말 무표정하거나. 근데 나올 때는 한결같이 홀가분한 표정을 짓고 있어. 자신의 슬픔을 그곳에 버리고 오는 것 같아. 그리고 자기표정을 되찾은 사람들은 더 이상 그 방에 가지 않아. 효과가 있긴 있나봐."

해원은 잠시 말을 끊었다가, 조심스레 한 마디를 덧붙였다.

"언니도 한 번 가봐. 자꾸 애꿎은 손톱만 뜯지 말고."

해원이 건네준 일회용 밴드를 받으며 나는 괜찮다고 대답했지만 해원은 속지 않았다. 그녀는 내가 불안하거나 힘들 때 무의식적으로 하는 행동들을 알고 있었다. 해원이 챙겨준 소독약과 밴드, 두통약을 받아 들고 의무실을 나오며 손끝을 살폈다. 열손가락의 손톱은 모두 바짝 뜯겨있었고 곳곳에 피가 나고 있었다.

해원의 말을 들은 이후, 의무실에 들를 때마다 복도를 오가는 사람들의 표정을 살피게 되었다. 등을 보이며 멀어지는 사람과 얼굴을 보이며 다가오는 사람의 표정은 확실히 달랐다. 누가 저기서 무엇을 하는 걸까 궁금했지만, 그뿐이었다. 낯선 사람과 마주앉아 내 이야기를 하고 싶은 마음은 조금도 들지 않았다.

2

점심시간이 다가오자 한 팀장이 메신저로 점심을 함께 먹자며 말을 걸어왔다. 한 팀장과는 첫 사수로 만난 것이 계기가 되어 쭉 가깝게 지내고 있었다. 그녀는 보수적인 조직에서 팀장이란 직책을 부여받은 유일한 여성이었다. 쌀국수집에서 미리 주문까지 해놓고 나를 기다리던 한 팀장은 고급스러운 원피스 차림에 빛나는 진주목걸이를 하고 있었다. 언젠가 예쁘게 차려입은 한 팀장에게 좋은 일 있냐고 물었더니 돌아왔던 대답이 생각났다. 자신이 초라하게 느껴질 때 그런 마음을 지우려고 공들여 단장을 한다며, 그것이 스스로를 지키는 방식이라고 했다. 그녀는 좋은 기회가 생겨 이직을 한다고 했다.

석연치 않은 기분이 들었지만 애써 마음을 감추고 축하의 말을 건넨 후 사무실로 돌아오자, 기다렸다는 듯이 팀장이 내게 말을 걸어왔다. 한 팀장, 결국 그만둔대? 이 팀장이 너무했지. 한 팀장한테 그러면 안 되는데.

임원이 동석한 회의에서 이 팀장이 자신의 실수를 다른 부서 탓을 하며 억지를 부린 것이 사건의 발단이었다. 한 팀장이 사실을 근거로 조목조목 잘못을 지적하자 이 팀장이 여자 따위가 자기에게 겁도 없이 대든다며, 네가 아무리 잘나도 이 회사에서 임원이 될 수 있을 줄 아냐며 소리쳤고, 모두의 침묵 속에서 회의가 끝났다고 했다. 왜 그때 아무 말도 하지 않았냐고 묻자 그런 자리에서 말을 잘못하면 불똥이 튀니까 어쩔 수 없었다고 했다. 입맛이 쓰다는 말을 남긴 채 팀장은 자신의 자리로 돌아갔다.

예전에 다녔던 회사에서 나도 비슷한 일을 겪었다. 직원들 사이에서 박가발이라고 불렸던 임원은 손버릇이 나쁘기로 유명했다. 어느 날 회식자리에서 박가발이 다가와 쌈을 싸서 억지로 내 입에 넣으려 해 미간을 찌푸리며 거절했다. 다른 여직원들은 잘만 받아먹는데 왜 너만 유난스럽게 굴어서 나를 민망하게 만드느냐고 그는 소리를 질렀다. 앞자리의 비서에게 한 손으로 쌈을 먹여주며 다른 손으로 발목을 만지는 것을, 그

옆에 앉은 여직원의 허벅지를 더듬는 것을 보았다고는 말하지 못했지만, 경멸을 담은 표정을 감추지도 못했다. 분위기는 점점 싸늘해졌다. 자리에 있던 선배들이 하나 둘씩 자리를 뜨기 시작했다. 회식자리에 오기 싫어하는 나를 억지로 데려오며 무슨 일이 있으면 자기가 챙겨주겠다고 호언장담했던 과장도 아무 말 없이 슬그머니 밖으로 나갔다. 결국 가방을 집어들고 그 자리를 뛰쳐나와야만 했고, 식당 앞에 모여 있던 사람들은 내 눈을 피했다. 회사를 그만두겠다고 다짐했던 순간이었다.

그날 이후, 앞에서 벌어지는 상황을 외면하고 뒤에서만 험담하는 사람들을 신뢰하지 않았다. 그들은 동료가 아니라 그저 이해관계를 따지는 온전한 타인일 뿐이었다. 대신, 나는 좋은 선배가 되고 싶었다. 특히 어린 여자 후배들에게 내가 겪었던 것과 같은 경험을 물려주고 싶지 않았다. 시간이 흐르며 후배들이 상담을 해오기 시작했지만, 보수적인 조직 내에서 내가 할 수 있는 것은 사실 거의 아무것도 없었다. 그들의 이야기를 들으며 점점 회사에 대한 신뢰를 잃어갈 뿐이었다.

새로 구입해야 하는 의약품 목록을 확정하기 위해 의무실에 갔을 때 슬픔의 방에 들어가는 남자의 뒷모습이 보였다. 이 팀장이었다. 내용은 알아들을 수 없었지만 의무실까지 큰 소리가 들려왔다. 화를 내는 것 같았다. 해원이 말했다.

"별일이네, 저번에 사람들이 무슨 생각으로 저길 가는지 모르겠다고 욕하는 걸 들었는데."

슬픔의 방이 잠시 조용해졌다는 생각이 든 순간 이 팀장이 급한 걸음으로 방에서 나왔다. 그의 눈가가 붉어져있었다. 저 안에 있는 상담사는 이 팀장과 대화가 되는 걸까. 설마 저 사람도 슬픔을 버리고 온 걸까. 궁금한 마음이 사라지지 않고 시선 끝에 머물렀다. 목을 가다듬는 헛기침 소리가 들려오자 의약품 구입목록을 확인하던 해원이 고개를 들어 밖을 바라보았고, 다시 나와 눈이 마주치자 말했다.

"내 말이 맞지? "

자리에 돌아와 메일을 확인하니, 2주전 받았던 종합건강검진 결과지가 도착해있었다. 조금 긴장하며 건강검진 결과를 살피는데, 이번엔 재검진이 필요한 항목이 하나도 없었다. 안도감이 들었다. 처음 종합건강검진을 받았을 때, 수면내시경을 하고 깨어났더니 왼쪽 팔 곳곳에 주사자국이 있었고, 혈관이 터져 시퍼런 멍이 들어있었다. 수면약물에 알러지 반응이 나타나 진정제를 놓는데 혈관 찾기가 어려웠다고 했다. 앞으로는 수면내시경을 하지 말라고 주의를 줬을 뿐, 내 팔을 그렇게 만든 것에 대한 사과는 없었다. 두 번째로 종합건강검진을 받았을 때 여러 개의 담석이 보인다는 재검진 소견이 있었고, 재검진 결과를 상담 받으러 간 병원에서 의사는 제 기능도 못 하는 담낭을 몸 안에 갖고 있으면 뭘 하겠냐며 떼어버리라고 했다. 마치 코 푼 휴지를 쓰레기통에 버리라는 것과 다를 바 없는 말투로 너무 쉽게 내 몸 안의 장기를 떼어버리라고 하는 그의 말에 반감이 들었지만, 별다른 도리 없이 담낭을 떼어내야 했다. 할 수 있었던 것은 그 병원이 아니라 다른 병원에서 좀 더 친절한 의사에게 수술을 받는 것, 그것밖에 없었다.

옛날 생각을 하다 다시 결과지에 눈을 돌렸다. 2년 전의 지표와 비교해서 결과를 보여주는 게 흥미로워 끝까지 읽고 있는데, 마지막의 정신건강 진단결과를 보고 놀랄 수밖에 없었다. 여러 항목들이 그다지 좋지 않은 영역에 속해 있었지만, 가장 심각한 건 불안 증상이었다. '치료를 요함' 단계에 속하는 빨간색 그래프와 '불안장애'라는 단어가 눈에 들어오자 심장이 빨리 뛰기 시작했다.

최근에 다시 불면증이 도졌다. 불면증이 처음 생긴 건, 4년 전 독립을 했을 때였다. 침대에 누우면 큰 창문 너머로 하늘이 보이는 게 좋아서 골랐던 9층 원룸이었다. 신축건물이었고, 1층엔 관리사무소가 있었다. 안전한 곳이라고 생각했다. 그 집에 들어간 지 한 달쯤 되던 날, 늦은 밤에 화재경보기가 울렸다. 사람들이 들락날락하는 문소리가 들렸다. 그뿐이었다. 대피를 하라는 말도 없었고, 누구도 건물 밖으로 나가는 것 같지 않았다. 불안한 마음으로 엄마에게 문자를 보내고 있는데 집주인의 아들인 관리사무소 실장의 문자가 왔다. 화재경보기 오작동으로 수리 중이니 걱정하지 말라는 형식적인 내용이었다. 그 후에도 화재경보기는 수시로 울렸다. 오작동이겠거니, 생각하고 방에 머물러 있으면 심장이 두근두근 뛰었다. 늦은 밤에 화재경보음이 날카롭게 울려대면 마음 놓고 잠들 수도 없었고, 마냥 깨어있을 수도 없었다. 두세 시간 겨우 눈을 붙이고 출근을 하기도 했다. 겨우 잠들었던 짧은 시간에 건물이 무너지는 꿈을 꾸었다. 9층에서 1층까지 순식간에 무너져 내려 폐허 속에 갇힌 내 모습에 진저리 치며 깨어나곤 했다. 그렇게 잠에서 멀어졌고 우유를 데워 마셔도, 힘든 운동으로 몸을 피곤하게 만들어도, 결국 잠들 수 없게 되었다. 2년의 계약 기간을 채우고 5층짜리 건물의 2층으로 이사를 했고, 그 건물에는 화재경보기가 없었다. 화재경보기가 아예 없는 것과 수시로 오작동하는 것 중 어느 것이 나은지는 알 수 없었지만, 어찌됐든 새로운 집에서 잃어버렸던 잠을 되찾았다.

그렇게 불면증이 없어진 줄 알았는데, 요즘 다시 부쩍 잠들기가 힘들어졌다. 서너 시간을 자고 출근하면 늘 졸렸고, 집중해서 일을 하려면 커피를 마셔야 했다. 하루종일 커피를 마시는 나를 보며 해원은 언닌 찌르면 피가 아니라 커피가 나올 것 같다며 걱정했지만, 어쩔 수 없었다. 속쓰림과 두통으로 의무실을 찾는 일이 잦아졌고, 슬픔의 방을 자주 훔쳐보게 되었다.

3

주간 회의자료를 취합해서 기획팀에 보내야 하는데 승우만 회신을 하지 않았다. 절대 기한을 넘기지 않는 사람인데, 무슨 일이 있나 궁금했다. 그는 요즘 임원이 직접 지시한 업무 때문에 새벽 3시쯤 퇴근하고, 아침 7시쯤 회사에 되돌아오곤 했다. 매일 아침 붙박이장처럼 자리에 앉아 있는 그에게 선배, 회사에서 사는 거 아니죠? 라는 질문으로 아침인사를 대신하기도 했다. 그럴 때면 그는 충혈된 눈으로 노트북에서 시선을 돌려 억지웃음을 지어 보였다. 그 웃음은 일종의 거리유지용이었다. 그는 본인이 원해서 벌어지는 것이 아닌 상황을 다른 사람들 입으로 재확인하는 걸 싫어했다. 자신이 혹사당하고 있다는 사실조차도.

보고자료 작성 때문에 평소보다 일찍 출근했던 오늘, 내 것과 함께 산 샌드위치와 커피를 건네주었을 때 그는 무언가를 기록하고 있었다. 뭘 그렇게 쓰고 있냐고 묻자 진지한 표정으로 매일 출퇴근 시간을 다이어리에 표시한다고 대답했다. 한 달이 지나면 맥도날드의 시급과 비교해볼 생각이라고 했다. 친구들은 대기업에서 성과급까지 받으며 돈을 많이 벌어 좋겠다고 부러워하지만, 시급으로 따지면 자신이 최하위에 속할 거라며 쓴 웃음을 지었다. 오늘따라 말이 많은 승우에게 무슨 말을 해야 할지 몰랐다. 언젠가 좋은 날이 오겠죠, 라고 위로를 건네자 그는 그런 헛된 기대는 가지면 안 된다며, 이런 생활은 죽어야 끝난다고 대답하고 다시 노트북으로 시선을 돌렸다.

생기 없는 그의 눈동자를 떠올리며 한참을 기다렸지만, 결국 자리에 돌아오지 않는 승우의 업무내용을 제외하고 정리한 주간 회의자료를 담당자에게 보냈다. 커피를 타러 탕비실에 갔더니 사람들이 모여 있었다. 무슨 일이냐고 묻자, 후배한 명이 화를 가득 담은 목소리로 말했다. 승우가 쓰러져서 병원에 실려 갔는데, 그 소식을 들은 임원의 첫 마디가 보고자료는 어떻게 됐냐는 질문이었다고 했다. 직장인은 월급의 대가로 무엇까지 포기해야 하는 걸까. 승우의 공허한 눈빛이 떠오르자 숨이 막히는 것 같았다.

바람을 쐬면 마음이 좀 가라앉을까 싶어 12층 옥상으로 향하던 길에 엘리베이터 안에서 한 여자와 마주쳤다. 슬픔의 방의 상담사였다. 가까이서 보는 그녀는 백지 같았다. 유독 흰 피부를 가진 사람이었지만, 그것 때문만은 아니었다. 아무런 편견 없이 상대방을 바라보는 느낌이 드는 사람이었다. 그녀는 나를 의무실에서 종종 봤다며 아는 척을 했다. 안색이 좋지 않다고 걱정하는 상담사에게 나도 모르게 상담을 받고 싶은데 대기가 길어 예약할 엄두가 나지 않는다고 말했다. 내가 상담을 받고 싶어 했다는 것을 그제야 깨달았다.

상담사는 손목시계를 보더니 30분 후에 슬픔의 방으로 오라고 했다.

"그 시간에 예약하신 분이 조금 전에 급하게 취소하셔서, 다른 대기자분에게 연락도 못하고 시간이 붕 뜬 상태라서 괜찮아요. 그리고 그 시간이 마지막 상담 시간이라 전 바로 퇴근하면 되거든요."

꾸밈없는 그녀의 웃음에 나도 모르게 안도감을 느꼈다. 그녀에게라면 조금은 의지해도 될 것 같다는, 아니 의지하고 싶다는 생각이 들었다.

4

약속한 시간에 문을 열고 들어서는데 짤랑, 종소리가 들렸다. 금속으로 만들어진 작은 종이 차가운 소리를 냈다. 나도 모르게 움찔했다. 긴장해서 애써 표정을 지우고 있었다는 것을 인지하고 슬며시 웃음이 났다. 해원아, 난 표정을 감추는 쪽이었어.

상담사가 내미는 서류에 간단한 내용을 기재했다. 이름 칸에서 잠시 망설이는 나를 보며 상담사는 익숙한 듯 가명을 써도 된다고 알려주었고, 나는 앨리스라고 적었다. 근속연수를 기재하는 칸에 7년이라고 썼다.

7년이라는 시간 동안 정말 열심히 살았다. 어스름한 새벽에 집을 나서 밤하늘을 바라보며 집에 돌아오곤 했다. 서울 하늘에도 가끔 별이 보였다. 모두가 그렇게 사는 줄 알았다. 그렇지만 어느 순간 멈춰서 살펴보면 앞으로 나아가는 사람이 있고, 같은 자리에 머무는 사람이 있었다. 혼자 남겨진 사무실의 불을 끄고 퇴근하면서 휴대전화에 저장되어 있는 연락처를 아무리 살펴보아도 갑자기 불러낼 수 있는 사람이 아무도 없었다. 돌아보면 한 순간도 후회 없이 살았는데, 양손 가득 움켜쥐었던 것들이 손을 펴는 순간 사르르 빠져나가 아무것도 남지 않을 것 같은 불안한 마음이 들었다. 두려워서 손을 펼치

지도 못하고 다른 어떤 것도 잡을 수 없는 채로 나이 들어가는 사람, 그게 나인 것 같았다.

상담사는 내게 하고 싶은 이야기를 하라고 했다. 어떤 이야기를 어디까지 해야 할 지 고민하며 한동안 침묵을 지키다 불쑥 내뱉었다.

"여기를 떠나고 싶어요."

그녀는 회사를 그만두고 싶은 거냐고 되물었고, 나는 그렇게까지 구체적인 생각을 하는 건 아니지만 나를 아는 사람이 아무도 없는, 새로운 곳에 가고 싶다고 대답했다. 가보고 싶은 곳이 있냐는 상담사의 질문에 오랫동안 사무실 책상 유리 밑에 끼워놓은 세계지도를 떠올렸다. 5년 전 우연히 서점에서 발견하고 사온 후 딱 하나의 나라에만 주황색 형광펜으로 색을 칠해놓았다.

"스페인에 한 번쯤 가보고 싶었어요. 고등학교 때 제2외국어로 스페인어를 배웠었는데, 그때 스페인 사람에게 '부에노스 디아스'라고 인사해봐야지, 라고 생각했거든요."

고등학교에 입학했을 때 제2외국어로 배울 언어를 일본어와 스페인어 중에서 선택할 수 있었고, 주저하지 않고 스페인어를 골랐다. 일본보다 스페인에 더 가기 힘들 것 같았고, 배우기도 어려울 것 같았고, 평생 한 번도 써보지 못할 만큼 쓸모없어 보였기 때문이다. 실용적이지 않은 것에 열중하는 것, 남들과는 다른 선택을 하는 것, 희소성 있는 보기를 고르는 건 어릴 때부터의 습관이었다. 스페인어 수업 첫 시간에 전 세계에 스페인어를 쓰는 사람이 그토록 많다는 걸 알게 된 후, 이유 모를 배신감을 느껴야만 했다.

고 3이 되던 2월, 다른 지역으로 전학을 하게 되었을 때 문제가 되었던 것도 스페인어였다. 전국에서 제2외국어로 스페인어를 가르치는 학교는 1%가 되지 않는다고 했고, 이사한 지역에는 단 하나도 없다고 했다. 고 3 커리큘럼엔 제2외국어가 없으니까, 그리고 수능을 보는 과목도 아니니까 그냥 집에서 가까운 학교로 가면 어떻겠냐고 교육청 담당자가 물어보았고, 나는 선택을 가장한 강요 앞에서 고개를 끄덕이며 생각했다. 역시 스페인어는 쓸모없는 것이었구나.

상담사가 웃으며 말했다.

"다른 건 다 이해가 되는데, 쓸모없어 보여서 골랐다는 건 좀 이상한데요?"

"전 원래 쓸데없는 일을 정성들여 하는 것을 좋아했어요. 남들이 보기에 시간낭비하는 것처럼 보일지 모르지만, 저 혼자 즐거운 일들이요. 수능 모의고사 오답노트를 만들 때, 세계지리 문제를 정리하다가 난데없이 세계지도를 정밀하게 따라 그런 후에 가고 싶은 나라의 순서대로 진하게 칠했어요. 선생님은 공부할 시간을 낭비한다고 저를 혼냈지만, 그걸 그리면서 이 중 얼마나 많은 나라에 가볼 수 있을까 상상했어요. 친구들이 영어사전을 펼쳐들고 'A'부터 단어를 외울 때, 저는 국어사전을 꺼내 'ㄱ'부터 읽었어요. 결국 반의반도 다 읽지 못했지만 재미있었어요. 어휘력이 풍부한 편이라고 생각했는데 아는 단어보다 모르는 단어가 더 많더라고요. 가끔은 새로 산 책에서 오탈자를 찾아 연필로 고쳐놓기도 해요. 2쇄에서는 내가 찾은 오탈자가 수정되었는지를 찾아본 적도 있었지만 출판사에 굳이 알려준 적은 없었어요. 그냥 저 혼자 재미로 하는 일이니까요. 그런데 요즘엔 책을 읽을 시간조차 없어요. 생각해보면 회사 밖에서 보내는 시간이 10시간 정도밖에 없는데, 자고 먹고 씻고 출퇴근하는데 필요한 시간을 쪼개서 책을 읽기는 거의 불가능하거든요. 이런 삶이 불만족스럽다고 여겨지니까, 아마도 떠나고 싶은 거 아닐까요?"

"그럼 지금부터 앨리스가 할 일은, 스페인에 가서 '부에노스 디아스'라고 인사하는 거예요. 다음에 만날 땐 비행기 티켓을 예약해 와요. 어차피 우리가 다시 만나려면 꽤 많은 시간이 지나야 할 테니까 시간은 충분할 거예요."

그녀의 단정적인 말에 놀라 되물었다.

"일도 많고, 당장 휴가를 내기도 어려울 것 같은데 가능할까요? "

"앨리스. 체셔 고양이가 했던 말을 잊지 말아요. 당신이 어느 길로 갈지는, 당신이 어디로 가고 싶은 지에 달려있어요."

문을 닫고 나와 의무실이 보이는 복도를 걷다 보니 마음이 한결 가벼워졌다. 무심히 창밖을 바라보던 해원과 눈이 마주치자 방긋 웃어 보였고, 해원은 눈이 동그래졌다.

상담사의 말처럼 슬픔의 방을 다시 찾기까지는 오랜 시간이 걸렸다. 결국 두 달 후 금요일로 상담시간을 예약할 수 있었고, 그 사이 항공권을 예약했다. 결제까지는 하지 못했지만, 원한다면 언제든 그곳에 갈 수 있었다. 내가 없다고 해서 세상이 멈추는 건 아니었다. 그 간단한 사실을 알게 되기까지 7년이라는 시간이 걸렸다.

5

두 번째로 슬픔의 방에 가던 날, 서랍 속에서 도자기 풍경을 하나 꺼내 가방에 넣었다. 지난 달, 도예공방의 원데이 클래스에 참석해 풍경을 세 개 만들었다. 하나는 해원의 언니가 운영하는 신촌의 작은 가게에 걸어두면 어울릴 것 같아 선물했고,

두 개가 남아 있었다. 슬픔의 방에서 들었던 건 금속종이 부딪히며 나는 소리뿐이었고, 하얗고 아기자기하게 꾸며진 공간과는 어울리지 않는다고 생각했다. 바람이 불어올 때 도자기 풍경의 맑은 소리가 그 방을 채우면 좋을 것 같았다.

"금속보다는 흙이 더 따뜻하게 느껴지잖아요."

상담사에게 풍경을 내밀며 말했다.

"혹시 풍경에 대한 따뜻한 기억을 갖고 있어요?"

그녀가 뜻 없이 던진 질문에 순간 오래된 기억이 떠올랐다.

마당이 있는 집에서 커다란 개를 키우며 살던 외할머니는, 내가 처음 보았을 때부터 혼자였다. 막내 이모가 아홉 살 때 외할아버지가 돌아가셨다고 했다. 외할머니 집에 가면 바람이 불 때마다 맑고 청아한 소리를 내던 풍경이 어린 내 눈길을 끌었다. 흔하고 소박한 물건이었지만, 외할머니는 가끔 그 풍경을 아주 소중하게 어루만졌다. 바람이 세차게 불어 풍경이 쉴 새 없이 울려대면, 할머니는 말간 얼굴로 바람을 보며 말했다. 소리가 참 예쁘지? 마치 바람이 불어오는 곳에 누군가 있는 듯, 한참을 바라보던 외할머니는 어딘가 다른 세상에 머무는 사람 같았다. 외할아버지를 생각하시는 거야, 엄마가 속삭였다. 그리움이라는 단어를 들으면 그때의 외할머니 표정이 떠올랐다.

성인이 되어 요양병원에 머물던 외할머니를 찾아갔을 때, 그녀는 나를 알아보지 못했다. 결혼했어요? 아가씨가 참하고 이쁘네. 빨리 좋은 신랑감 찾아요. 늦기 전에 결혼해야지. 내 대답은 아랑곳하지 않고 5분마다 같은 질문을 반복하던 그녀는 결혼하면 좋아요? 라는 내 질문에 암, 좋고말고요. 라며 말끝에 하얀 웃음을 매달았다. 반복하던 질문을 멈추고 혼자만의 세상에 머무는 사람처럼 소녀처럼 수줍게, 먼 시간을 회상하며 웃는 그녀의 모습은 풍경을 바라보던 모습과 비슷했다. 그녀에게 마지막까지 남은 것은 사랑이었구나. 손녀도 딸도 기억에서 지운 채, 떠나간 남편에 대한 기억만을 간직하고 살아가는 그녀의 시간이 낯설게 느껴졌다.

100세 생일을 몇 달 남겨두고 외할머니는 세상을 떠났다. 우리는 장례를 치르며, 먼저 묻혔던 외할아버지의 유골을 옮겨와 합장을 했다. 47년 만에 함께 누운 공간 속에서 외할머니는 남편의 손을 꼭 잡으며 예의 그 말간 웃음을 보였을 것 같았다. 추모공원에 놓을 사진을 고르다 처음으로 외할아버지를 보았다. 오래된 흑백사진 속에서 이목구비가 뚜렷한 사람이 다정하게 웃고 있었다. 외할머니의 표정을 생각하며 사진을 한참 들여다보았다.

"풍경을 만들면서 가장 먼저 떠올렸던 것도 외할머니의 모습이었어요. 바람이 불어오면 누군가 나를 떠올려줄까, 라고 생각했거든요. 바람이 부는 곳에 함께 존재하는 사람이라니, 정말 아름답잖아요."

내 이야기를 듣고 있던 상담사는 미묘한 표정을 지으며 말했다.

"앨리스, 혹시 티켓은 끊었어요?"

고개를 끄덕이자 그녀는 말했다.

"그렇다면 나머지 풍경 하나를 가져가서, 여행 중에 만나는 사람에게 선물하는 건 어떨까요?"

미간을 찡그리는 내게 상담사는 설명했다. 내가 좋아한다고 말한 일들은 혼자 하는 것뿐이라고. 다른 사람에게도 마음을 열고 새로운 관계를 맺는 연습을 했으면 좋겠다고 했다. 딱히 반박할 말을 찾지 못한 채 슬픔의 방을 나왔다.

6

의외라는 말은 들었지만, 장기휴가를 승인받는 과정이 어렵지는 않았다. 오히려 너무 쉬워서 헛웃음이 날 지경이었다. 도대체 지금까지 왜 이렇게 살아왔던 걸까. 휴가를 내고, 업무일정을 조율하고 짐을 꾸렸다. 한 켠에 도자기 풍경을 깨지지 않게 넣고 어떻게든 되겠지, 중얼거리며 가방을 닫았다.

여행사에 견적을 의뢰할 때 무조건 스페인에 체류하는 기간
이 가장 긴 스케줄로 잡아달라고 요청한 덕분에 퇴근하자마
자 쫓기듯 리무진 버스를 타고 공항으로 이동했고, 자정 무렵
출발하는 비행기를 타야만 했다. 창가 쪽 자리에 앉은 여자가
화장실에 가야 하니 잠깐 비켜달라며 무척 미안한 표정으로
날 깨웠을 때, 비행기가 이륙하기도 전에 잠들었다는 걸 알게
되었다. 그동안 빼앗긴 잠을 보상받기라도 하듯 14시간의 비
행 동안 쏟아지는 잠 속에서 헤어나오지 못했다.

아는 사람이 아무도 없는 곳에서 나는 자유롭고 외로웠다.
습관처럼 스타벅스에 찾아 들어가 아메리카노를 주문했다. 해
원이 있었다면 또 커피를 마신다고 잔소리를 했겠지만, 새로
운 하루를 시작하기 위해서는 일정량의 카페인이 필요했다.
커피를 가지러 갔더니 주문할 때 확인한 내 이름과 함께 웃는
얼굴이 일회용 컵 옆면에 그려져 있었다. 바짝 서 있던 외로움
이 서서히 가라앉았다.

아침 7시, 투어에 참가하기 위해 약속된 장소를 찾아가야 했
다. 구글맵은 역의 출입문을 통과하라고 알려주고 있는데, 이
른 시간이라 그런지 문이 잠겨있었다. 난감한 표정을 지으며
서성이고 있는데 누군가 다가왔다. 손에 쥐고 있는 안내문을

보더니 그는 반갑게 말을 걸었다.

"부에노스 디아스, 좋은 아침이에요! 우리 가장 먼저 만났네요. 절 따라오시면 돼요."

환하게 웃으며 앞장서서 걸어가는 그는, 오늘의 투어를 담당하는 가이드인 지원이라고 했다. 내가 커피를 좋아한다고 하자, 지원은 아메리카노 대신 스페인 사람들이 즐겨 마시는 꼬르따도를 마셔보라고 추천했다. 에스프레소와 우유의 비율이 1:1의 동등한 관계로 만들어지는 진한 커피는 제법 마음에 들었다. 낯선 거리를 걷고 있으면 스페인의 따뜻한 햇살이 느껴졌다. 햇살을 등에 지고 걸으면, 마치 누군가 등을 따스하게 안아주는 것 같았다. 마음속에 온기가 스며들었다.

하루하루가 정신없이 흘러갔다. 이곳의 시간이 흐르는 만큼, 떠나온 곳의 시간도 같은 속도로 흘러가고 있었다. 다만 내가 그곳에 없을 뿐이다. 7년을 함께 지내다 보니 같이 일하는 사람들과의 관계는 소중한 것이 되었다. 직급이 올라가고 후배들이 늘어날수록 배려해야 하는 것들이 많아졌고, 나로 인해 상처받는 일을 만들고 싶지 않았다. 그렇게 생각하다 보면 점점 내가 없어졌다. 원하는 것, 하고 싶지 않은 것, 내가 상처받는 것은 항상 뒷전으로 미뤘다. 아무도 원하지 않았는데 스스로 그런 자리를 자처한 것은 아니었을까. 이어지는 생각을 멈추려 고개를 저었다. 생각조차도 떠나온 곳에 머물게 하고 싶지 않았다.

지원이 식당 몇 군데를 추천하며 자유시간을 주자 중년부부가 유일하게 일행이 없는 내게 조심스럽게 다가왔다. 괜찮으면 함께 식사를 하자며, 여럿이 먹으면 다양한 메뉴를 먹을 수 있어서 좋은 것 같다고 웃으며 말했다. 함께 식당에 들어가 메뉴판을 보고 있는데, 지원이 식당에 나타났다. 그는 메뉴를 고른 사람에게는 주문을 도와주고, 메뉴를 고르지 못한 사람들에게는 음식을 설명해가며 선택을 도와주었다. 자신이 인솔하는 사람들이 모두 주문한 것을 확인한 후 밖으로 나가려는 지원에게 한 일행이 함께 식사하자고 청하자, 그는 다른 식당에도 가봐야 한다며 환한 미소만 남기고 서둘러 사라졌다.

사그라다 파밀리아 성당을 마주했을 때, 바르셀로나에 왔다는 실감이 들었다. 사무실 책상 유리 아래 끼워놓았던 세계지도에는 각 지역의 대표적 건축물이 앙증맞은 그림으로 표현되어 있었고, 바르셀로나에는 바로 이 성당이 그려져 있었다. 100년이 넘도록 완공을 못하고 오랫동안 짓고 있는 이유가 뭘까요? 기업의 후원은 받지 않고 개인의 기부금과 입장료 수입만으로 성당을 짓고 있어서 그래요. 여러분도 이 성당을 짓는 데 기여하신 거예요. 지원의 설명을 들으며 생각했다.

내 마음도 아주 작은 조각으로 변환되어 성당 어딘가에 들어가겠구나. 전 세계에서 찾아오는 사람들로 인해 조금씩 높아지는 이 곳이 마음에 들었다. 설명을 마친 지원이 한 명씩 사진을 찍어주기 시작했다. 여기서 찍으면 성당이 제일 예쁘게 나와요, 라며 서 있을 장소를 알려주고 높은 성당 전체를 카메라에 담기 위해 바닥에 무릎을 꿇고 거의 눕다시피 했다. 마지막 한 사람의 사진까지 찍고 일어선 지원의 바지에는 흙물이 들어 있었다.

이동하는 버스 안에서 일행 중 누군가가 지원에게 타국에서 가이드로 사는 것이 힘들지 않느냐고 묻자 지원은 눈을 빛내며 대답했다.

"저는 스페인에 처음 온 사람들에게 맛있는 음식, 좋은 장소를 알려주는 것이 행복해요. 어렵게 시간을 내고 돈을 들여서 오는 여행을 가능한 즐겁고 행복한 시간으로 채워드리고 싶어요. 나중에 스페인의 맛있는 요리를 소개하는 투어를 만드는 게 제 꿈이에요."

성인에게서 자신의 꿈 이야기를 듣는 건 정말 오랜만이었다. 나는 어디로 떠나고 싶은지를 생각해내는 데에도 오랜 시간이 걸렸다. 승우는 맥도날드의 시급과 자신의 시급을 비교하기도 전에 쓰러져 병원에 실려갔다. 우리에겐 꿈은 없고 삶만

이 남아 있었다. 힘겹게 버티고 견뎌야하는 시간들만으로 이루어진 삶. 그 삶에 짓눌린 사람들을 일으켜세워 다시 밥값을 하는 일꾼으로 변모시키기 위해 슬픔의 방이라는 공간이 생겨났고, 그 결과 나는 이 곳에 와서 꿈을 이야기하는 사람을 마주하고 있었다. 회사 선배에게서 나이가 몇인데 아직도 꿈타령을 하냐는 타박을 들었던 어느 날, 나는 생각했다. 아이들이 꿈을 먹고 자란다는 말은 그 꿈을 다 먹어 치우면 어른이 된다는 뜻일까. 가끔 다른 데 한눈을 팔다가 꿈을 다 먹어치우지 못한 사람들만이 남겨진 꿈을 성인이 되어서도 갖고 있는 걸까. 만약 그렇다면 지원은 꿈의 조각을 남겨둔 사람인 걸까. 지원을 바라보며 생각에 빠져 있다가 눈이 마주쳤다. 당황해서 나도 모르게 고개를 돌렸다. 버스 창문 너머 땅에 굳건하게 뿌리를 내린 올리브나무로 가득한 평지가 끝도 없이 이어졌다. 평화롭고 아름다운 풍경이었다.

7

　여행의 마지막 밤이었다. 누군가의 제안으로 여행멤버 중 서로를 궁금해 하던 사람들이 저녁을 함께 먹게 되었다. 현지인이 즐겨가는 식당으로 지원은 우리를 안내했다. 어떠한 이해

관계로도 엮이지 않은 낯선 사람이기에 도리어 솔직한 이야기를 할 수 있었다. 숨겨둔 자신의 꿈을 이야기하기 시작했고, 스페인에 오게 된 경위에 대해 이야기했고, 즐거웠던 순간을 떠올렸다. 내가 스페인어를 배우게 된 계기와 쓸모없는 일에 열중하는 습관에 대해 말하며 자조적인 말투로 쓸모없는 일에만 열중해서 지금 내 삶이 이렇게 됐나 봐요, 라고 이야기를 끝맺자 가만히 듣고 있던 지원이 불쑥 끼어들었다.

"여기는 오렌지나무를 가로수로 심어요. 잎사귀를 보면 먹을 수 있는지 없는지를 확인할 수 있는데 가로수로 심는 건 먹으면 안 되는 오렌지예요."

"먹을 수도 없는 오렌지나무를 왜 심는 거죠?"

"향 때문에요. 좋은 향이 나잖아요. 사람이 먹을 수 없다고 해서 쓸모없는 것은 아니에요. 먹고 사는 것은 물론 중요하지만, 사람이 살아가는데 꼭 그것만 필요한 건 아니잖아요. 어느 날 문득 바람에 실려 온 오렌지 향이 우리를 행복하게 만들어 주는 순간도 분명 존재할 테니까요."

나는 말없이 고개를 끄덕였다. 살아남은 꿈들로 가득 찬 밤이 흐르고 있었다. 아마도 다시는 만나지 못할 사람들이지만, 그렇기 때문에 더 따뜻할 수 있었다.

투어의 마지막 날, 버스 안에서 지원은 엽서를 한 장씩 나눠

주었다. 한국에 두고 온 소중한 사람들에게 엽서를 쓰라고 했
다. 누군가 이 엽서가 한국에 도착하는 데 얼마나 걸리느냐
고 물었고, 지원은 일주일이면 도착할 거라고 대답했다. 가이
드의 박봉으로 우표까지 준비했다며 너스레를 떨고 있었지만
그의 세심함이 우리의 여행을 즐겁게 만들었다는 것을 모두
가 알고 있었다. 지원이 건네준 엽서를 받아들고 잠시 고민에
빠졌다. 해원의 얼굴이 떠올랐지만, 엽서보다 내가 먼저 도착
할 거라는 생각이 그녀의 얼굴을 지워버렸다. 굳이 억지로 쓸
필요는 없겠지, 라고 생각하며 가방에 넣으려다 문득 지원에
게 엽서를 써야겠다고 생각했다. 길지 않은 마지막 자유시간
에 테라스가 있는 카페에 자리를 잡고 엽서를 꺼냈다. 지난 밤
나누었던 이야기들을 떠올리며 정성들여 글씨를 써내려갔고
풍경과 함께 작은 봉투에 담았다.

8

　　마지막으로 슬픔의 방에 찾아갔을 때 상담사는 밝은 웃음으
로 나를 맞이했다. 어쩌면 내가 처음으로 웃고 있었기 때문일
지도 모른다고 생각했다.

　　"스페인어를 다시 배우기 시작했어요. 언젠가 다시 스페인

에 가게 되면 스페인어로 음식 주문을 하고 싶어졌거든요. 뭔가 하고 싶다고 생각한 건 정말 오랜만이에요."

한국에 돌아온 첫 주말에 스페인어 학원의 초급반에 등록했고 토요일 아침마다 3시간씩 스페인어를 배우기 시작했다. 해원은 도대체 스페인에서 무슨 일이 있었던 거냐고 물으며 나를 변하게 만든 계기에 대해 궁금해했지만, 나조차도 정확하게 설명할 수 없었다.

"그 풍경은 주인을 찾아갔나요?"

나는 고개를 끄덕이며 휴대폰을 상담사에게 내밀었다. 지원의 카톡 프로필 사진 속에서 도자기 풍경이 파란 하늘 가운데 빛나고 있었다. 때마침 불어온 바람에 슬픔의 방 창가에 매달려있던 풍경이 흔들리며 청아한 소리를 냈고, 상담사와 나는 말없이 바람이 불어오는 곳을 바라보았다.

흘러가다

희찬은 낯선 천장 아래에서 눈을 떴다. 침대에 눕자마자 정신을 잃듯 잠들었던 게 기억났다. 팔을 뻗어 휴대전화 화면을 확인하니 이제 막 8시가 지나고 있었다. 생각보다 늦은 건 아니었지만, 여유를 부릴만한 시간도 아니었다. 오늘도 네 군데의 온천을 들렀다 나오려면 서둘러야 했다. 하품을 하며 커튼을 열어젖히니 구름이 가득한 흐린 하늘이 눈에 들어왔다. 온천의 수증기가 대기에 가득 모여 있는 것 같아, 중얼거리며 옷을 갈아입었다. 오늘은 또 어떤 온천을 경험하게 될까 생각하는 것만으로도 심장이 뛰었다. 이렇게 삼일을 보내고 나면 초록색 수건을 받게 될 터였다. 그 수건을 받아들면 얼마나 행복한 마음이 들까. 열흘밖에 시간을 내지 못해서 이번엔 초록색으로 만족해야 하지만, 다음번엔 적어도 보름의 여유를 갖고 다시 와야지. 그땐 꼭 88개의 온천스탬프를 가득 채워 검은색 수건을 받아야지, 다짐하며 떠나왔던 여행이 끝나가고 있었다.

흐린데다 이른 시간이어서 그런지 열쇠를 건네받고 들어간 온천에는 아무도 없었다. 작은 규모에 아늑한 기분이 드는 곳이었다. 희찬은 서둘러 몸을 씻고 수도꼭지를 돌려 찬물을 적당히 섞어 온도를 맞춘 후 탕 안으로 들어갔다. 몸을 감싸는 열기를 느끼며 '아, 시원하다'라고 내뱉은 후 스스로가 너무 아저씨같다고 생각하며 혼자 키득거렸다. 몸이 충분히 데워져 땀이 흐르기 시작하면 슬그머니 탕 밖으로 나와 몸을 말리고, 열기가 식어 추운 것 같은 느낌이 들면 다시 물속으로 들어가기를 서너 번 하고나자 바깥에서 사람들의 말소리가 들려왔다. 이제 나갈 타이밍이네. 옷을 갈아입고 밖으로 나왔더니 하늘이 파랗게 개어있었다. 가까운 가게에서 캔맥주를 두 개 사서 벤치에 앉아 홀짝거렸다. 바닥에 진한 그림자가 늘어졌다. 휴대전화를 꺼내들고 셀카를 찍었다. 사진 속 표정이 하나같이 마음에 들었다. 고뇌라고는 단 한줌도 느껴지지 않는 표정의 사진 한 장을 지은에게 전송했더니 금방 회신이 왔다. 다크서클이 아주 턱 끝까지 내려왔어. 맥주만 마시는 거 아니지? 밥 잘 챙겨먹어. 어쩌면 이렇게까지 나를 잘 알고 있는 거지? 희찬은 피식 웃음이 났다. 처음 지은에게 온천 여행을 가겠다고 말했던 그날이 떠올랐다.

나, 온천에 좀 다녀올게. 희찬의 말을 듣자마자 지은은 순간적으로 미간을 찡그렸다가 언제 그랬냐는 듯 표정을 감췄다. 지은 대신 육아휴직을 하며 아이를 돌보고 있는 희찬에게도 분명 휴가는 필요했다. 희찬은 지난 몇 달 동안 지은의 기대보다 아빠의 역할을 성공적으로 수행하고 있었다. 어쩌면 자신보다 더 능숙하고 헌신적으로 육아에 힘을 쏟았는지도 모른다고 생각했다. 엄마보다 아빠를 더 의지하고 찾는 다빈에게서 지은은 아주 작은 상실감을 느꼈지만, 출근할 때마다 매달려 우는 아이를 떼어놓고 나오는 상황을 상상하면 끔찍했다. 떼를 쓰며 아이가 매달리면 화를 내지 않고 참을 수 있는 시간은 30분에 불과했다. 언젠가 1시간 넘게 떼를 쓰며 우는 아이에게 희찬이 전혀 화를 내지 않고 부드럽게 말로 타이르는 것을 보고, 저 사람이 내 아이의 아빠라서 정말 다행이라고 생각한 적도 있었다. 희찬의 부재를 견뎌낼 수 있을까를 먼저 생각

하는 자신이 이기적이라고 생각했지만, 어쨌거나 희찬의 시간
을 보장해주려면 지은은 회사에 휴가를 내고 온종일 아이에
게 매달려야 했다. 생각만으로도 앞이 캄캄했다. 게다가 갑자
기 여행을 가겠다는 희찬의 의도를 정확하게 파악해야 했다.
결혼하고 잠잠해진 그의 방랑벽이 도지기 시작하면 답이 없
다. 다시 시작되는 건 아니겠지, 하필 온천이라니. 지은은 조
그맣게 한숨을 쉬었다.

어디로 갈 건데? 침착함을 가장한 지은의 질문 속에 힐난의
감정이 섞여있다는 것을 느꼈지만 희찬은 담담하게 대꾸했다.
벳푸. 일본이잖아. 진심이야? 며칠이나 가려고? 열흘. 갑자기
왜? 설마 내가 요즘 좀 늦게 왔다고 시위하는 거야? 내가 육
아휴직 하고 집에 있을 때 당신도 프로젝트 때문에 매번 늦었
잖아. 속사포처럼 쏘아대는 지은의 말을 견디기 힘든데다가
지은이 불필요한 오해를 하게 만들고 싶지 않았다. 희찬은 자
신도 모르게 평소라면 하지 않았을 말을 입 밖으로 꺼냈다.

수분이 부족한 것 같아. 뭐라고? 사람 몸의 60%가 수분으
로 이뤄진다는데 몸에 구멍이라도 난 건지 수분이 자꾸 빠져
나가나봐. 아무리 물을 마셔도 소용이 없어. 자 봐, 손이 투명
해졌다고. 지은에게 손을 내밀자 지은은 희찬의 손을 빤히 바
라보다가 손에 들고 있던 머그컵을 건네주며 말했다. 이거나

마셔. 회식은 내가 했는데 왜 자기가 취한 거 같냐. 꿀물이 가득 담긴 머그컵에서 김이 모락모락 피어올랐다.

왜 하필 물이었을까. 희찬이 없는 밤, 혼자 다빈을 히노끼욕조에서 씻기다 지은이 중얼거렸다. 신혼집을 장만할 때 희찬은 다른 것은 모두 지은의 뜻에 따랐지만, 유일하게 베란다에 히노끼욕조를 놓겠다는 고집은 꺾지 않았다. 욕실에 기본 욕조도 있는데 나무 욕조를 꼭 놔야 해? 관리하기도 힘들 텐데. 이해할 수 없다는 듯 지은이 물었고 희찬은 좋아하는 데에 딱히 이유가 필요한가, 라고 얼버무렸다. 침묵의 시간이 얼마간 지난 후 자신을 빤히 바라보는 지은에게 희찬이 말했다. 물속에 들어가면 평소에 잊고 살던 것들에 대해 생각이 많아져. 우주가 확장되는 느낌인데, 집에 그런 공간이 있었으면 좋겠어.

희찬을 세 번째로 만났던 날 지은이 물었다. 카톡 프로필에 '목욕의 신'이라고 써놨던데, 그게 뭐예요? 일본 만화 제목쯤 되는 건가 생각했지만 희찬이 눈을 빛내며 대답했다. 제 장래 희망이에요. 커피잔을 만지작거리던 시선이 엉겁결에 희찬의 얼굴로 향했다. 장난기라고는 찾아볼 수 없는 진지한 표정이었다. 제가 목욕하는 걸 좋아하는데, 남들보다 좀 심하게 좋아해서 세계 각지의 유명한 온천이나 목욕탕을 찾아다니거든요. 독일에 있는 휴양도시 비스바덴의 온천도 가봤고, 헝가리의 세체니 온천도 갔었고, 그런데 어디가 더 좋았냐면요. 희찬의 말이 끝도 없이 이어져 마치 전 세계의 목욕탕 이야기로 온 밤을 가득 채울 것 같은 기세였다. 희찬의 이야기를 들으면서 지은은 세체니 온천을 떠올렸다. 그래 나도 가봤었지, 딱 그 입구까지만. 3년 전 친구들과 함께 동유럽 여행을 갔을 때 들렀던 그 곳 입구에서 친구들과 헤어져 근처 카페에서 혼자 커피를 마시며 시간을 보냈었다. 지은씨? 재미없는 이야기를 제가 너무 혼자 떠들었나봐요. 열기가 가라앉고 다시 평범한 온도로 돌아온 희찬이 살짝 민망한 표정을 지으며 말을 건네는 순간 지은은 깨달았다. 아, 이 사람이구나. 굳게 막아두었던 마음이 슬그머니 새어나와 희찬을 향해 끝없이 흘러갔다.

끝까지 히노끼욕조를 반대하지 못했던 건 희찬의 눈빛을 기억했기 때문이었다. 저렇게 반짝이는 표정으로 낯선 사람에게 시간가는 줄 모르고 설명할 만큼 무언가를 좋아할 수 있다니, 지은은 평생 가져보지 못한 경험이었다. 게다가 희찬은 퇴근 후 목욕을 하고 나오면 표정이 확연히 밝아졌다. 전 세계의 온천을 찾아다니던 사람이 그저 베란다의 히노끼욕조에서 목욕하는 것만으로 타협하고 있다는 생각을 하면 안쓰럽기도 하고 다행스럽기도 했다. 다빈의 몸을 닦아주고 욕조의 물을 한 방울도 남김없이 비우며 지은은 생각했다. 그렇지만 나는 타인과 물을 공유하고 싶진 않아. 어쩌면 그것이 우리의 유일하고도 결정적인 문제일지도 몰라.

*

희찬이 속해있던 TF팀의 프로젝트가 마무리되어 새로운 팀으로 발령이 나길 기다리던 어느 날이었다. 인사팀에서 제안한 티오가 있는 팀이 두어 군데 있었지만 싫은 곳과 더 싫은 곳 중에 골라야 하는 것이 자신에게 주어진 선택이라니 암담한 기분이 들었다. 함께 프로젝트를 했던 동기에게 사람이 싫은 곳과 일이 싫은 곳 중에서 넌 뭘 고를 것 같아? 라고 묻자 네가 더 잘 견딜 수 있는 곳이겠지, 시큰둥하게 대답하던 동기는 진절머리가 난다는 듯 고개를 저으며 덧붙였다. 왜 좋은 것과 더 좋은 것 중에서 선택해야 하는 경우는 없는 걸까? 세상의 모든 사람들에게 그런 선택의 기회가 없는지는 확인할 수 없었지만, 최소한 자신에게는 주어지지 않을 것이라고 희찬은 확신할 수 있었다. 며칠째 참고 있던 치통을 더 이상은 견디기 어려워 진료예약을 하고 치과에 갔더니 진찰하던 의사가 말했다. 스트레스가 많으신가 봐요. 이를 너무 악무는 습관이 있는 것 같은데 치아에 굉장히 나쁜 습관이거든요. 희찬은 고통을 잘 참는 편이라고 생각했지만, 그것이 자신의 몸 어딘가에 흔적처럼 남아있을 거라고는 생각하지 못했다. 입을 크게 벌린 채 치과 진료의자에 비스듬히 누워있는 희찬에게 아프면 손을 드세요, 라고 의사가 말했지만 마취가 끝난 후 진료과정에서 통증은 전혀 느껴지지 않았다.

육아휴직 중이었던 지은은 계속 우울함을 토로하며 회사로 돌아가고 싶어했고, 지은이 복직을 하려면 아이를 맡아줄 사람을 구해야 했다. 마땅한 사람을 좀처럼 찾지 못한 채 시간은 속절없이 흘러갔다. 결국 희찬은 자신이 아이와 함께 시간을 보내겠다고 결심하고 육아휴직을 신청했다. 남자가 무슨 육아휴직이야, 동료들은 당황스러워했지만 희찬은 자신에게 주어진 선택지 중에서 가장 좋은 답을 골랐다고 생각했다. 아이와 보내는 대부분의 시간은 새롭고 즐거웠다. 자신이 아이에게 꼭 필요한 사람이 되어간다는 확신을 가지게 되면서 지쳤던 마음이 회복되는 것 같았다. 아이를 바라보며 웃으며 보내는 시간이 많아졌다. 다만, 자신의 모든 시간이 물 흐르듯 사라져버리는 것에 대한 허무함만은 떨쳐내지 못했다. 육아휴직 기간을 자기계발의 시간으로 활용하고 싶었던 자신의 생각이 얼마나 큰 욕심이었는지, 시간이 지날수록 희찬은 절실히 깨닫고 있었다.

아이가 어린이집에서 돌아올 시간이 되어 희찬은 아파트 입구로 향했다. 어린이집 등하원차량이 도착하려면 10분가량 여유가 있어, 근처 카페에서 아이스 아메리카노를 한 잔 사서 벤치에 앉아있었다. 아이를 마중나온 아이 친구 엄마들이 보였다. 매일 마주치는 사람들이라 앞에서는 웃으며 인사를 나눴지만, 그녀들과 어울리는 것도 어울리지 않는 것도 아닌 애매한 시간이 불편했다. 화창한 햇살에 눈이 부셔 잠깐 눈을 감고 딴 생각을 하고 있는데 웅성거리는 소리가 들렸다. 다빈이 차에서 내려 희찬을 찾고 있었다. 다빈을 향해 활짝 웃으며 손을 흔들어 보였고, 다빈과 눈이 마주쳤다고 생각했는데 아이는 이내 울음을 터뜨렸다. 아빠, 아빠아. 아니 쟤가 왜 저러지. 여기저기 두리번거리며 우는 아이에게 아이 곁에 있던 옆집 할머니가 희찬을 가리키며 아빠 저기 있네, 라고 말했지만 다빈은 고개를 저으며 더 크게 울어댈 뿐 좀처럼 진정될 기미가 보이지 않았다. 서둘러 다가가 다빈과 딱 세 발짝의 거리가 남았을 때 비로소 아이의 눈이 커지며 울음을 멈추고 희찬을 향해 팔을 뻗어왔다. 팔을 벌려 아이를 안았을 때 문득 희찬은 자신의 팔이 낯설어 보인다고 생각했다. 평소보다 조금 가벼웠고 빛이 팔을 통과하는 것처럼 보였다. 아이를 떨어뜨릴지도 모른다는 생각에 더 힘을 주어 끌어안자 다빈이 버둥거리며 말했다. 아빠, 숨막혀. 아이를 안은 채 오른 손으로 왼 팔을 조심스레 눌러보았다. 익숙한 살과 뼈의 촉감이 손끝을 통해 고스란히 느껴졌지만, 떨어진 아이의 모자를 주우려 허리를 숙였을 때 다빈의 짙은 그림자에 비해 옅고 가벼운 그림자가 희찬을 따라 움직였다. 이건 뭐지? 묘한 이질감을 느낀 순간, 아파트 놀이터에 멈춰있던 분수가 다시 솟아오르기 시작했고 아이는 희찬의 품을 벗어나 포물선을 그리며 떨어지는 물줄기 아래로 뛰어갔다.

　다빈이 어린이집에 가고 나면 희찬에게 겨우 몇 시간의 자유가 생겼다. 희찬은 그 시간에 주로 밀린 집안일을 했고 가끔 친구를 만났고 종종 집앞 도서관에 갔다. 다빈에게 읽어줄 책을 골라들고 대출 줄을 기다리고 있는데, 문득 반납대 위 정리되지 않은 채 쌓여있는 책더미가 눈에 들어왔다. 그중 한 권을 슬쩍 집어 목차를 살피던 희찬은 줄에서 빠져나와 가까운 빈 좌석에 자리잡고 책의 마지막 페이지까지 읽어 내려갔다. 2000년부터 벳푸에서 관광산업을 활성화시키기 위해 만들었다는 '온천명인'을 나는 왜 이제야 알게 된 걸까, 그동안 내가 정신없이 살긴 했구나. 온몸 구석구석의 세포 끝까지 스며드는 흥분감을 감추지 못한 채 희찬은 중요한 핵심 정보들을 기록하기 시작했다. 일단 100엔을 내고 '벳푸 스파포트'를 구입한 후 벳푸 구석구석에 위치한 온천 중 88군데를 다녀오면 벳푸 온천명인의 칭호를 부여받을 수 있고, '벳푸팔탕 온천도 명인'이라는 글자가 금색실로 수놓아진 검은색 수건을 부상으로 준다고 했다. 더불어 벳푸에서 가장 유서 깊은 온천 중 하나인 '효탄 온천' 로비에 마련된 명예의 전당에 이름을 올릴 수 있다고 했다. 내가 이걸 하려고 육아휴직을 한 거구나. 희찬은 알 수 없는 희열을 느꼈다. 한 번에 88군데를 다녀오기엔 너무 오래 자리를 비워야 하니까 일단 열흘만 다녀오겠다고 해야지. 하루에 서너 군데씩 들르면 4단은 채울 수 있을 거야.

온전한 시간을 가지려면 잠을 줄이는 방법밖에 없었기에 희찬은 평소보다 한 시간 일찍 일어나 일본어 공부를 했다. 온천이 밀집해있는 낯선 마을에서 만나는 사람들과 간단한 의사소통을 하며, 온천 문화를 즐기는 한 명의 동지처럼 그곳에 머물다 오고 싶었다. 상상할 수 있는 모든 질문과 대답을 떠올려보고 실제로 쓸법한 문장들을 통째로 외웠다. 다빈을 씻겨 어린이집에 보낼 준비를 하면서도 희찬의 머릿속엔 벳푸지역의 지도가 떠올랐고 설거지를 하면서 외운 문장들을 수시로 중얼거렸다.

지은에게 함께 가자고 말해볼까, 잠깐 고민했지만 금방 마음을 바꿨다. 여행을 싫어하는 것도 아니면서 왜 그렇게 온천은 싫어하는 걸까. 다빈이가 태어나기 전 처음 온천에 같이 가고 권했을 때 지은은 난처한 표정을 지으며 거절했다. 혼자 다녀와줘, 제발. 몇 번이고 설득하는 희찬에게 끝내 부탁하듯 말하는 지은을 보며 희찬은 알게 되었다. 같이 가자고 하는 것보다 혼자 다녀오겠다고 하는 것이 더 쉬운 일이구나.

둘 다 바다를 좋아한다고 말했지만, 막상 처음 함께 바다에 놀러갔을 때 희찬은 해수욕을, 지은은 바다를 바라보는 것을 좋아한다는 것을 알고 조금 당황스러웠다. 대부분의 것에서 자신은 행위를, 지은은 대상을 떠올린다는 것을 깨달았다. 서로의 다름을 인정하자는 암묵적인 합의를 했고 상대방이 싫어하는 것을 강요하거나 비난하지 않았다. 그런 것이 가능했기에 결혼까지 할 수 있었을지도 모른다. 고양이 너무 예쁘지? 키우는 사람은 얼마나 좋을까, 라며 고양이 사진만 몇 시간째 찾아보던 지은에게 그래도 키울 생각은 없는 거지? 라고 물었을 때 지은은 어떻게 알았냐고 되물었다. 남들은 그렇게 좋으면 키워, 라고 말하지만 키울 자신은 없어. 그냥 보는 게 좋을 뿐이지. 알아. 고개를 끄덕이며 무심하게 말하는 희찬을 바라보며 지은은 이유모를 안도감을 느꼈다.

희찬과 지은이 찾은 물에 대한 타협점은 아쿠아리움이었다. 지은과 함께 다빈을 데리고 아쿠아리움에 놀러갔던 어느 날, 다빈은 거대한 수조를 양 손으로 짚고 서서 홀린 듯 수중 생물을 바라보았다. 평일에 희찬이 아이를 전적으로 돌보는 것에 대해 빚진 마음이 들었던 지은은 주말에 가족 나들이를 가면 자신이 다빈을 좀더 돌보려고 했고, 덕분에 희찬은 여유롭게 아쿠아리움을 살펴볼 수 있었다. 지은이 다빈을 데리고 화장실에 가서 혼자 남게 되자 희찬은 자신의 손을 바라보았다. 가방을 들고 있지만, 어쩐지 바닥의 육각타일 모양이 투명해진 손 너머로 비쳐 보이는 것 같은 느낌이 들었다. 고개를 저으며 정면을 바라보았을 때 멀리서 헤엄치던 벨루가 고래가 어느새 희찬에게 바짝 다가와 있었다. 거대한 유리를 사이에 두고 눈이 마주치자 고래가 은밀히 속삭였다. 뭍에 너무 오래 머무는 것 아냐? 다시 멀어진 고래의 숨구멍에서 솟아오른 긴 물줄기가 포물선을 그리며 아래로 떨어져 내렸고, 물방울이 수면을 튕기는 소리가 마치 알림음처럼 귀를 두드렸다.

*

　친구의 결혼식에서 받은 부케를 들고 들어간 곳은 유명하지
만 작은 카페였다. 아무리 가게를 둘러봐도 화장실이 보이지
않았다. 건물 밖으로 나가야 한다는 직원의 말에 지은은 잠깐
고민했지만, 어차피 손을 씻어도 다시 문을 열고 들어올 때 손
잡이를 만져야 한다는 것이 찜찜했다. 커피와 함께 주문한 쿠
키를 포크로 집으려다 번번이 실패하는 모습을 바라본 친구
가 물었다. 손으로 집는 게 낫지 않아? 변명하듯 지은이 대답
했다. 손을 못 씻어서 그래. 여기 오기 직전에 화장실 들러서
씻었잖아. 되묻는 친구에게 고백하듯 지은이 말했다. 언제부
턴가 여러 사람들이 수시로 만지는 것을-예를 들면 저 문 손
잡이라던가- 잡고 나서 손을 씻지 않으면 굉장히 찜찜한 기분
이 들거든. 결벽증 같은 걸까? 생각해보니까 신종플루가 유행
하면서부터였던 것 같아. 친구는 이해한다는 듯 고개를 끄덕
였다. 나, 맨날 수영한다고 하고 딱 한 달씩밖에 못하잖아. 그
게 벌써 10년째야. 매번 자유형만 하다 끝나서 이번엔 배영을
할 수 있을 때까진 다녀보려고 생각중이야. 친구는 갑자기 목
소리를 낮췄다. 사실 수영을 하다보면 물을 먹을 수밖에 없는
데 그 물이 참 더럽잖아. 나도 수영을 하기 전에 머리를 감고
들어가진 않아, 물만 묻히지. 나오면 또 씻어야 하니까. 근데

110

같이 수영을 다니는 후배 말로는 샤워도 하지 않고 물에 들어가는 사람들이 정말 많다는 거야. 사실 언젠가, 네가 신종 인플루엔자를 계기로 손을 씻게 된 것처럼 나도 더러운 물을 자각하게 된 계기가 있었어. 남편 발에 껍질이 벗겨지는걸 보고 왜 그러냐고 했더니 무좀이라고 하더라고. 그럼 수영장에 무좀 걸린 사람도 오겠구나. 그 균이 들어간 물을 먹을 수도 있구나, 라고 생각했더니 정말 토할 것 같았어. 물론 소독은 하겠지만 말이야.

한 번 그런 대화를 하고나자 그 생각이 얼룩처럼 들러붙어 떨어지지 않았다. 수영장 뿐 아니라 대중목욕탕도 갈 수 없게 되었다. 많은 사람들이 탕 안에 들어가 있으면, 혹은 물속에 들어가기 위해 준비하는 사람들을 보게 되면 가장 먼저 발을 쳐다보게 되었다. 발에서 시작해서 모든 것들을 경계하는 눈빛으로 바라보게 되는 자신이 싫었다. 차라리 카페에서 책이나 읽으며 시간을 보내는 것이 좋아. 희찬에게는 도무지 이런 이야기를 할 수 없었다.

걱정은 수용성이라는 말도 못 들어봤어? 목욕하면 몸무게도 줄어드는데, 그게 걱정이 녹아서 그런 거래. 누가 그러는

데? 책에서 읽었어. 온천명인이 쓴 책.[1]

긴 시간을 들여 목욕을 마치고 나온 희찬의 손가락 끝이 쪼글쪼글했다. 그렇게 오래 물속에 있었으면 물에 불어 팽팽해져야 할 것 같은데 왜 마치 수분이 빠져나가는 것처럼 주름이 생길까. 희찬의 말처럼 걱정이 녹아 사라진 흔적이라도 되는 걸까, 생각하다 고개를 저었다. 그렇게 쉽게 휘발되는 거였다면 세상엔 걱정이란 게 존재하지 않겠지.

다시 출근을 하게 되면서 지은은 그제야 숨을 돌릴 수 있었다. 지금껏 애써 버티며 쌓아올린 커리어를 포기하고 싶지 않은 욕심도 있었지만, 집에서 육아만 하다가는 우울증에 걸릴 것 같았다. 방에서 아이를 겨우 재우고 나와 첫 끼를 먹는 중에 들려오는 아이 울음소리에 자신도 모르게 아이의 방문을 닫아 버렸던 순간, 두려움과 자괴감이 동시에 들어 주저앉아 울어버렸던 적도 있었다. 도무지 버틸 수 없는 시간이었다. 얘기로 들었던 것과 현실로 겪어내야 하는 것은 강도가 달랐다. 자신의 배에서 나온 그 작은 존재를 탓하고 원망하게 될 스스로를 지은은 견딜 수 없었다. 지은 대신 육아휴직을 선택한 희찬 덕분에 승진 대상자였던 지은은 어떤 불이익도 받지 않고 경력을 쌓을 수 있었다. 아니, 다른 동료들에 비해 더 인정받

---

1 「온천명인이 되었습니다」 안소정 저

는 기회가 되기도 했다. 봐, 여자라고 다 책임감 없는 게 아니야, 아이보다 회사를 선택하는 사람도 있잖아. 저런 애들은 회사 차원에서 키워줘야 한다니까. 그건 책임감의 문제는 아니라고 생각했지만 굳이 그런 말을 입밖으로 내지는 않았다. 알아듣지도 못할 인간들에게 굳이 에너지를 낭비해가며 설명할 필요는 없지. 나는 그저 오래 버티려는 것뿐이야. 지은은 곱씹어 생각했다.

버텨내야 하는 것들은 시간이 지날수록 늘어가기만 했다. 육아휴직을 썼던 직원 중 유일하게 지은만 승진한 이후, 화장실에서 자신을 두고 독하다는 둥, 사회생활 정말 잘한다며 빈정거리는 소리를 우연히 듣기도 했다. 아니, 그런 건 괜찮았다. 정작 지은이 견딜 수 없었던 건 시기섞인 뒷담화가 아니라 육아휴직을 신청하는 직원들이 자신의 조기복직으로 인해 일 년이라는 정당한 기간을 보장받기 어려워졌다는 것을 알게 되었을 때 밀려오던 자책감이었다. 나쁜 선례를 만든 것에 대한 미안한 마음과 내 탓이 아니라고 항변하고 싶은 마음이 동시에 들었지만 누구도 추궁하지 않았고 누구에게도 변명하지 않았다. 지은이 할 수 있는 건 흔들리지 않게 애써 중심을 잡는, 그저 그것뿐이었다. 게다가 진행하고 있는 중요한 프로젝트의 담당자가 유독 애를 먹였다. 전화를 해도 수시로 자리를 비워 연결이 되지 않았고 메일을 보내도 제때 회신하는 일이 없었다. 가끔 이런 사람들이 있었다. 조직도에는 분명 존재하지만 그 존재를 확인할 길이 없는 사람들. 겨우 연락이 된 담당자에게 전체 프로젝트의 기한을 상기시키며 언제까지 자료를 작성해서 넘겨줄 거냐고 묻자 그는 별일 아니라는 듯 여유를 부리며 말했다. 그걸 제가 해야 한다고요? 메일? 확인 안 했는데. 아, 제가 잊어버렸나봐요. 되는대로 해보고 연락드릴게요. 아니 해드린다는데 왜 화를 내고 그러세요. 전화를 던지듯 끊고 크게 한숨을 쉬자 주변 사람들의 시선이 따라왔다. 약속을 지키지 않는 사람 대신 왜 자신이 막다른 길에 몰려야 하는지 모르겠다는 생각을 하며 지은은 화장실 문을 걸어 잠근 채 심호흡을 하고 자리로 돌아와 남은 일을 했다. 직장생활을 하며 깨달았던 진리는 결국 시간은 지나가고 일은 어떻게든 마무리된다는 것이었다.

퇴근해 돌아온 지은이 소파에 몸을 묻으며 말했다. 이어달리기 같아. 뭐가? 수건을 개던 희찬이 물었다. 내가 어디서부터 시작했는지 어디까지 달려야 하는지도 알지 못한 채 지쳐 쓰러질 때까지 달리는 경기 같다고. 바톤 터치를 해야 하는데 매번 담배 피느라 사라진 사람도 있고, 설렁설렁 뛰는 척만 하고

서는 심판 앞에서는 혼자 다 뛴 것처럼 숨을 몰아쉬며 연기하는 사람도 있고, 죽기 직전까지 뛰어도 아무도 몰라주는 사람도 있고, 아무도 안 보는데 죽을힘을 다해 뛰다 진짜 죽는 사람도 있고. 돈을 받고 뛰기로 계약을 했으니까 뛰기는 하는데 짜증나는 건 그런 거지. 달리기 멤버를 내가 구성하는 것도 아닌데 결과의 책임은 함께 달린 사람들에게 묻는 거. 애초에 멤버를 구성한 사람에게 물어야 하는 거 아닌가? 그럼 너도 달리는 도중에 심판 눈을 피해서 잠시 딴 짓을 좀 하면 안 돼? 남들도 그런다며. 희찬이 묻자 지은이 희미하게 웃으며 대답했다. 불행히도, 나는 그걸 못하는 인간이거든. 모두가 규칙을 지키지 않는다고 해서 나도 지키지 않아도 된다는 건 아니야. 그건 나를 속이는 일이니까. 잠시 침묵을 지키던 지은이 덧붙였다. 가끔 달리기를 그만두고 싶을 때도 있어. 그 끝도 없는 줄이 암담하게 느껴지면 말이야. 근데 막상 줄에서 벗어나 있으면 나를 제외한 모두가 어떤 식으로든 달리고 있는 것 같아서, 혼자 어찌할 바를 모르고 남들이 달리는 옆에서 서성이게 될 거란 말이야. 그게 두려워.

알람을 듣고 잠에서 깨어난 지은은 벌써 세 번째 같은 꿈을 꾸었다는 걸 깨달았다. 분주하게 사람들과 어울려 다니다가 문득 혼자만 맨발이라는 사실을 깨닫고, 사라져버린 신발을 결국 찾지 못한 채 깨어나는 꿈. 수면의 영역에서 현실의 영역으로 넘어와도 수치심과 당황스러움이 고스란히 각인되어 있었다. 평소와 달리 유독 생생하게 머릿속에 남는 꿈을 꾸고 나면 포털 사이트에서 꿈의 내용을 검색해보곤 했다. 몇 개의 글을 읽고 나서 지은은 휴대폰을 내려놓았다. 혼자 죽을 듯이 달리고서 신발이나 뺏기는 인생이라니. 지은은 현관 앞에 서서 평소 즐겨 신고 다니던 스니커즈를 한참 바라보다, 신발장을 열어 안쪽에 잘 보관해놓았던 명품 수제화를 꺼냈다.

희찬이 없는 동안 지은은 덜 핀 튤립을 한 다발 사와서 화병에 꽂아두었다. 다빈이 어린이집에 가 있는 몇 시간은 꽃을 바라볼 수 있었다. 집안일은 조금씩 쌓여갔지만 굳이 그 시간을 집안일을 하는 데 온전히 쓰고 싶지는 않았다. 괜찮아, 내 인생에서 이렇게 꽃을 바라보는 시간이 얼마나 되겠어. 연둣빛으로 둘러싸였던 꽃봉오리가 서서히 분홍색으로 변하며 피어나기 시작했다. 하루에도 몇 번씩 바라볼 때마다 조금씩 꽃잎이 벌어지는 것이 신기했다. 줄기 끝의 물을 빨아들여 꽃잎까지 골고루 배분하려 한껏 애쓰는 과정을 지켜보는 것 같았다. 온천에 몸을 담그고 있을 희찬을 떠올렸다. 아마도 그 역시 반짝이는 표정으로 피어나고 있겠지. 때마침 카톡으로 사진 한

장이 도착했다. 화창한 햇살 아래 더없이 밝은 표정을 짓고 있
는 그의 얼굴을 보니 안심이 되면서, 한편으로는 심술을 부리
고 싶어졌다. 밥 좀 잘 챙겨먹어. 맥주만 마시지 말고. 희찬은
아마도 메시지를 읽고 들켰다는 듯 웃겠지. 지은은 어딘지 모
르게 낯설어 보이는 희찬의 얼굴을 오랫동안 바라보았다.

　다빈을 데리고 돌아오는 길에 우편함에서 편지 한 통을 발
견했다. 새로 연결된 후원아동이 보낸 사진과 엽서가 들어있
었다. 첫 월급을 받고 의미 있는 일을 하고 싶어서 정기후원을
시작한 이후, 어느 새 각기 다른 나라에 후원하고 있는 아이
가 총 네 명이 되었다. 원래 세 명이었지만 승진 후 급여가 오
르면서 한 명을 추가했다. 여유가 있을 때 남을 도와주면 나중
에 또 누군가 나를 도와주겠지, 막연히 그런 기대감을 가졌다.
매월 3만원이라는 돈이 누군가에게는 마실 물이 되고, 학교가
되고, 자립의 기반이 된다는 것이 좋았다. 평생 만날 일은 없
겠지만 어쩌면 그들의 삶에 버팀목이 되어줄 수 있다니 그거
면 충분하다고 생각했다.

　난 아무래도 전생에 나라를 팔아먹었나봐. 그게 아니라면 현
생이 이렇게 힘들 수가 없어. 넌 교회 다니는 애가 무슨 전생
타령이니. 가볍게 핀잔을 주는 희찬에게 지은은 몸속에 가둬

두었던 말을 가득 쏟아냈다. 매일이 한계치 실험 같아. 인내심의 한계, 노력의 한계, 능력의 한계, 주량의 한계. 항상 타인에 의해 확인하게 되잖아. 내가 궁금해서 하는 것도 아니고, 굳이 알고 싶지도 않은데 왜 한계치에 도달할 때까지 견뎌야 하는 걸까. 내가 가진 것의 80%만 사용하면서 살면 좋을 것 같은데 자꾸 120%를 뽑아내려고 하니까 고장나는 것 아니야, 몸도 마음도. 한껏 말의 속도를 올려가며 쉴새없이 말하던 지은이 한숨을 폭 쉬며 말했다. 그래서 또 마음속으로 저주했어. 뭐라고 했는데? 가는 길에 확 넘어져서 바지나 찢어져라, 로또 2만원치 산 거 전부 숫자 하나씩 다 비껴가라, 그랬지. 다리가 부러지는 것도 아니고 고작 바지나 찢어지라고 생각한 걸 저주라고 표현하는 지은이 우스웠지만 희찬은 웃지 않았다. 지은이 설령 심한 저주를 퍼붓는다 하더라도, 실제로 사고라도 생기면 자기 탓이라고 생각할 것이 뻔했고, 아무런 일이 생기지 않는다고 해도 그런 저주를 퍼붓는 자신의 수준에 대해 또 실망할 게 뻔한 사람이니까.

희찬은 벳푸에서 보낸 마지막 날을 떠올렸다. 그 날의 마지막 온천에 몸을 담그고 있을 때 뒤늦게 들어온 사람에게 웃으며 인사를 건넸다. 열심히 외웠던 문장을 토씨 하나 틀리지 않고 기억해낸 스스로를 칭찬하면서. 마침내 마지막 도장을 찍고 초록 수건을 받으러 들렀던 관광안내소에서 희찬은 온천에 대한 안내문을 읽으며 생각했다. 내 인생도 어딘가로 자연스럽게 흘러가 무언가 따뜻한 존재가 되어가는 거였으면 좋겠다고. 그리고 언젠가 지은이 했던 말이 떠올랐다. 그거 알아? 지은은 늘 알 수 없는 말을 하기 전에 이렇게 묻곤 했다. 사람이 견디는 데 많은 것이 필요한 건 아니더라고. 그냥 뭐가 됐든 버팀목 하나만 있으면 돼. 가만히 기대어 있다가 기운을 차리면 다시 일어나면 되거든. 버팀목이 없는 누군가를 보면 내가 견디기 힘들어. 열심히 버틴 대가로 가능한 많은 돈을 벌어서 기부를 많이 할 수 있었으면 좋겠어. 고작 그 돈으로 뭘 바꿀 수 있겠냐고 해도 나 같은 사람이 꾸준히 늘어나면 결국 세상은 좋은 방향으로 흘러갈거야. 그 믿음이 내겐 하나의 버팀목이 되어주더라고.

있잖아. 넌 정기기부 여러 개 하잖아. 매달 5일에 빠져나가는 거. 뜬금없이 기부 이야기를 꺼내는 희찬을 바라보며 지은이 고개를 끄덕였다. 온천의 뜨거운 물이 수증기가 되어 하늘로 올라갔다가 빗방울로 떨어져 다시 온천의 물이 되기까지 50년이 걸린대. 네가 그렇게 열심히 일해서 번 돈이 저 아이들에게로 흘러가잖아. 그것도 일종의 선순환이라고 생각해. 심지어 너의 선순환 주기는 물보다 훨씬 빠르잖아. 매달 5일이면 순환되는데, 대단한 거야.

*

희찬은 먼 바다로 고래를 찾아나서는 다큐멘터리를 보고 있었다. 고래들은 무리지어 다니며 어느 순간 수면 위로 뛰어올랐다가 다시 물속으로 자취를 감추곤 했다. 유연한 아름다움에 홀려 있는데 현관에서 비밀번호를 누르는 소리와 함께 지은이 힘없이 들어왔다. 소파에 앉아있는 희찬에게 다가와 기대며 말했다. 나 좀 안아줘. 힘들다는 말 대신 지은은 늘 안아달라고 말하곤 했다. 희찬은 다빈을 안아주듯 지은을 꼭 끌어안고 등을 토닥거렸다. 눈을 감고 희찬에게 안겨있던 지은이 가늘게 눈을 뜨고 희찬을 바라보며 말했다. 어디서 바다 냄새가 나. 잠에서 깬 다빈이 방에서 걸어나와 지은과 희찬의 사이를 비집고 들어왔다. 한 무리처럼 서로의 체온을 느끼며 토닥거리는 사이 지은은 잠이 든 것 같았다. 방에 들어가 제대로 자라고 할까 잠시 고민했지만 어차피 내일은 토요일이니 깨우지 말아야겠다고 생각했다. 다음엔 우리 같이 가자. 다빈이도 데리고. 희찬은 잠든 지은에게 속삭이듯 말했다. 그래, 그러자. 그래도 난 온천엔 안 들어갈 거야. 잠이 가득 묻은 목소리로 지은이 대답했고 희찬은 그럴 줄 알았다는 듯 미소를 지었다. 그새 TV 앞에 다가가 있던 다빈이 손뼉을 치며 외쳤다. 아빠! 고래, 고래가 왔어. TV 속 먼 바다에서는 고래가 힘껏 물줄기를 뿜어내고 있었고 고래의 몸을 거친 물방울들이 반짝이며 바다로 떨어지고 있었다.

느긋하게 일어나 아침을 먹고 홈쇼핑 채널을 한참 보고 있던 지은이 말했다. 요샌 크릴오일이 유행인가, 여기저기서 광고하네. 주변에서도 많이들 먹는다던데. 희찬이 지은에게 물었다. 주문하려고? 아니, 사람들이 별걸 다 먹는다 싶어서. 고래, 펭귄 같은 남극에 사는 동물들이 주로 먹는 게 크릴새우인데 지구온난화와 함께 크릴오일의 인기가 높아지면서 개체수가 엄청나게 줄었대. 심지어 멸종위기에 놓인 흰긴수염고래는 먹이로 유일하게 크릴새우만 먹는데, 하루에 먹는 양이 4톤이래. 지은이 희찬을 신기한 듯 바라보며 말했다. 자긴 별걸 다 알고 있네? 어젯밤에 본 다큐멘터리에서 그러더라고. 크릴새우도 지구의 탄소 순환에 막대한 역할을 한대. 해수면에서 이산화탄소를 흡수한 해조류를 먹고 해저 깊숙이 잠수해서 배설을 하는데, 그 배설물이 쌓여 오랜 세월이 지나면 천연가스나 석유 같은 천연자원의 형태로 변형된다고 하더라. 그런 크릴새우를 인간은 고작 혈관 속 나쁜 콜레스테콜 수치 낮추려고 먹는다는 거네. 고래도 굶어죽게 만들고. 좀 안타깝다. 그럼 고래를 위해 기부나 할까. 갑작스런 희찬의 제안에 지은은 눈을 빛내며 좋아했다. 그래, 모든 인간이 고래에게 뺏기만 하는 건 아니라는 걸 증명해보자. 누구한테? 고래한테? 응. 모든 고래를 구할 수는 없겠지만 새끼고래 한 마리 정도는 우리가 도와줄 수 있을 거야. 그 한 마리가 커서 또 새끼고래를 낳고, 그렇게 반복되겠지. 인터넷으로 검색한 남극환경보호를 위한 단체에 처음으로 자신의 이름으로 기부신청서를 작성하면서 희찬은 상상했다. 흰긴수염고래가 커다란 입으로 크릴새우를 잔뜩 삼키고 유유히 먼 바다로 헤엄쳐가는 모습을.

거실을 정리하던 희찬은 어젯밤 다빈이 거실바닥에 엎드려 그리던 그림을 발견했다. 종이 가득 그려진 몸통에 비해 지나치게 작은 꼬리가 붙어있었고, 짝짝이로 그려진 두 눈과 양쪽이 삐뚤게 올라간 입으로 고래는 어색하게 웃고 있었다. 희찬은 조심스레 그림을 오려 작은 액자에 끼워 넣었다. 어디에 둘까 잠시 고민하며 둘러보는데 텔레비전 옆의 낮은 선반 위에 순서대로 놓여있는, 각기 다른 국적을 가진 아이들 사진이 눈에 들어왔다. 가장 최근에 도착한 아이 사진 옆에 고래 그림을 넣은 액자를 세워놓았다. 주방에서 우유를 마시던 다빈이 흰 수염을 입가에 달고 달려와 고래에게 끊임없이 말을 걸었다.

내 안에 분노와 환멸만이 존재하는 것처럼 느껴지던 시기가 있었다. 터져 나오는 감정을 가만히 바라보면 시선 끝에 어김없이 슬픔이 고여 있었다. 그때는 그저 슬퍼서, 사는 것이 힘들었다. 삶을 지켜내기 위해 크기를 가늠할 수 없는 방을 마련하고 '슬픔의 방'이라고 이름 붙였다. 슬픔의 표식을 달고 나타나는 모든 것을 그곳에 채웠다.

슬픔에서 비롯된 글들이었지만, 언제나 좀 더 나은 곳으로 걸음을 내딛는 사람의 이야기를 쓰고 있었다. 소설 속에 등장하는 인물들은 나이기도 하고, 내가 아니기도 하다. 주변의 사람들이기도 하고, 존재하지 않는 이들이기도 하다. 모두가 소설 속에서는 조금 더 좋은 삶을 살기를 바랐다.

욕심을 부리자면 이 글을 읽는 누군가의 슬픔을 조금이라도 덜어줄 수 있었으면 좋겠다. 작은 공감과 위로, 그건 어쩌면 내가 글을 통해 기대하는 전부일지도 모른다.

오랫동안 고쳐 쓴 글들이 결국 소설집의 형태로 세상에 나올 수 있게 되어 기쁘다. 바쁜 와중에도 정성들여 추천사를 써주었던 이윤경, 조현경 님께 감사드린다. 추천사를 읽고 내 이야기가 제대로 전달되었다는 생각에 뭉클했던 날이 기억난다. ZIZI님의 표지 시안을 받고 설레서 잠을 설쳤던 밤도 떠오른다. 혼자 책을 만드는 일이 더없이 외로운 여정일 줄 알았는데 많은 분들이 응원과 지지를 보내주었다. 처음으로 인류애를 느꼈던 순간이었다.

소중한 오랜 벗들과 사랑하는 가족들 덕분에 '슬픔의 방'의 무거운 문을 닫을 수 있었다. 함께 글을 쓰고 있는 동지들에게도, 글에 대한 조언을 해주시는 분들께도 감사드린다. 오롯이 혼자 할 수 있는 일은 아무 것도 없다는 당연한 사실을 새삼 깨닫는다.

소설가가 되겠다는 어린 날의 꿈을 잃어버리지 않아서 다행이라고 생각한다. 그 꿈을 이뤄가면서 나는 조금씩 행복해졌다. 앞으로도 꾸준히 행복해지려고 한다.

슬픔의 방

1판 1쇄 2021년 11월 24일

지은이   김문정
편집디자인   김문정
표지디자인   ZIZI

전자우편 moonpipe@gmail.com

* 이 책의 본문에는 제주명조체, Mapo꽃섬체를 사용하였습니다.